MODE
SURREAL
A Century Lost for Wearing

MODE
SURREAL
A Crazy Love for Wearing

奇想のモード
装うことへの狂気、またはシュルレアリスム

Seigensha

凡例

・本書は、東京都庭園美術館で開催される「奇想のモード
　装うことへの狂気、またはシュルレアリスム」展(2022年
　1月15日-4月10日)の公式図録として刊行したものである。
・内容は基本的に展覧会に準じているが、作品、章立て、
　掲載順の一部は一致していない。
・作品キャプションは作家名(和英)、作品タイトル(和英)、
　制作・出版年を掲載した。作家名の記載のない作品は
　不詳のものである。
・デザイナー名とブランド名が同じ場合、ひとつの表記のみと
　した。デザイナーが不詳で、ブランド名を表記している場合
　は、その旨を作品リストにて明記した。
・章解説および節解説は神保京子(東京都庭園美術館)が
　執筆した。
・作品解説の執筆者は下記の通り。各解説テキスト末尾に
　イニシャルで記載した。
　　　RK…………北村理沙子(アクセサリーミュージアム 学芸員)
　　　IS……………佐賀一郎(多摩美術大学 准教授)
　　　KJ……………神保京子(東京都庭園美術館 学芸員)
　　　NT…………筒井直子(京都服飾文化研究財団 学芸員)
　　　KaH………浜崎加織(東京都写真美術館 学芸員)
　　　KH…………浜田久仁雄(神戸ファッション美術館 学芸員)
　　　SH…………弘中智子(板橋区立美術館 学芸員)
　　　KM………宮川謙一(東京富士美術館 学芸員)
　　　SY…………山田志麻子(うらわ美術館 学芸員)
　　　NW………我妻直美(美術史家)
・章タイトルと節タイトルはルース・マクレリー(ザ・ワード・
　ワークス)が英訳した。
・p.7掲載の言葉の出典は下記の通り。
　　　ミシェル・テヴォー『アール・ブリュット 野性芸術の神髄』
　　　杉村昌昭訳、人文書院、2017年、p.186

MODE SURREAL
A Crazy Love for Wearing

目次
Contents

創造とはすでにあるものや
みなが満足しているものに満足しないということであり、
したがって反逆や衝突の状態を包含しているのである。

———ジャン・デュビュッフェ

Chapter

1

MO

SUR

A Crazy Lo

有機物への偏愛

Favoring the Organic

　人類の歴史の最も初期の頃、人々は動物の毛皮や編まれた植物等を身につけていたといわれている。化学繊維を素材とする衣服が量産されるようになった現代の我々が動物の毛皮を身に纏うことが禁断の要素を含むものになったのは、科学の進歩による恩恵あってこその事象であるということがいえるかもしれない。

　『ファーブル昆虫記』の著者を曾祖父にもつヤン・ファーブルは、同書からインスピレーションを受け、玉虫やスカラベを用いてドレスを纏う彫像や甲冑を表した立体作品を制作している。鮮やかな色彩を放つ昆虫の羽根は装飾物としても珍重され、時に装飾を施されながらもそのままの姿でブローチ等の素材として使用された。人類の歴史のなかでは自然物として身近にあった有機物の痕跡は、倫理観を身につけた現代の私たちにとっては複雑な感情入り混じる対象物であると同時に、驚異の感覚をもたらすものである。

Jan FABRE

ヤン・ファーブル
甲冑(カラー)
Hals Pantser
1996-2002年

金属的な耀きを放つ玉虫の羽根は、死後も腐敗することなくその鮮やかな色彩と光沢を留め、法隆寺の宝物「玉虫厨子(たまむしのずし)」にも見られるように、装飾物として珍重された。ベルギーのアントワープに生まれたファーブルは、曾祖父アンリ・ファーブルによる『昆虫記』にインスピレーションを受けると同時に、死と変容をテーマに玉虫やスカラベを使用した彫刻作品を数多く制作している。美しいアクセサリーのようにも見える本作は、昆虫の内臓を守るための固い鞘羽(さやばね)で覆われた〈甲冑〉として表現された一連の作品のうちのひとつであり、「ヴァニタス画において、昆虫は生死の架け橋である」と語るファーブルの、被支配と支配の歴史をもつ母国への思いが託されている。　　(KJ)

ブローチ

Brooch

19世紀

ブローチ

Brooch

1860-80年頃

ブローチ

Brooch

19-20世紀

上：玉虫をほとんどそのまま使用したブローチ。光沢のある体を繊細なフィリグリー（線細工）が刺繍したかのように飾られ、目にはルビーを用いている。19世紀初期から後期にかけて西欧市場にはインドから玉虫細工が多く輸入されており、このブローチもインド周辺に生息するフトタマムシの一種と考えられる。

中：古代エジプトにおいて太陽神として神聖視された有翼のスカラベ（フンコロガシ）のブローチ。このスタイルのジュエリーをエジプシャン・リバイバルジュエリーと呼ぶ。リバイバルジュエリーとは歴史的なスタイルやモティーフを模倣、または再現するなどしてデザインに取り入れたものを指し、エジプシャン・リバイバルは1798年のナポレオンのエジプト遠征、1869年スエズ運河の開通、1922年ツタンカーメン王墓の発見と三度の契機があり、ジュエリーとしては1860-70年代が最も顕著である。1867年のパリ万博では多くのメーカーが古代エジプトに着想を受けた作品を制作したとされている。中心に使われている虫はスカラベではなく色が神秘的なブローチハムシ（葉虫）で、ホルスの翼を表した銀の上から色をつけている。

下：ブローチハムシを宝石のようにあしらったブローチ。1869年にスエズ運河が完成し地中海と紅海がつながると、冒険好きの富裕層たちは旅行のお土産として珍しい異国の生き物や剥製などを持ち帰った。この虫もそのひとつで、南アメリカに生息するブローチハムシの一種と推測される。このブローチのデザインから当時の人たちが虫そのものに魅力を感じていることがわかる。　　　　　　　　（RK）

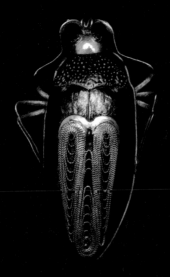

ライチョウの足のピン
Scottish Grouse Foot Pin
19世紀後半 - 20世紀初期

WBS（Ward Brothers）工房
Ward Brothers Studio
ライチョウの足のブローチ
Scottish Grouse Foot Brooch
1953年

ライチョウの足の装身具は、スコットランドの男性が狩りの際、ライチョウなど獲物に出会うためのお守りとして、伝統衣装であるキルトに着けて使用されていた。ライチョウ狩りは長く貴族スポーツだったが、第二次世界大戦を機にイギリスの食糧事情が悪化すると地元の人たちの大切な食糧兼資源となり、お土産物としてきれいに飾られたブローチが製造されるようになる。

　ふたつを比べてみると、古いもの（手前）は金具が非常に簡易的で、同時期のものを見ても針の部分が非常に大きいものや、夏に狩られたため白い羽根が生えていないものがある。一方、戦後のブローチ（奥）は量産された専用の金具を使用し、足のサイズが揃えられ、ほとんどが冬の白い足でつくられている。　　　　　　　　　　　　　　　　　　　　　（RK）

John GALLIANO / MAISON MARGIELA

ジョン・ガリアーノ／メゾン・マルジェラ
ミュール（2015年秋冬）

Mule
2015年

有史以来、人々の毛皮への愛着は時代とともにその有りようを変えてきた。1970年代、若者世代を中心としたグラムロックの流行のなかで一気に開花したのは、人工的な質感とヴィヴィッドな色彩をもつフェイクファーだった。本作は2014年にジョン・ガリアーノがメゾン・マルジェラのデザイナーに就任して初のプレタポルテ・コレクションにおいて発表したもの。グラムロック風のファッションに身を包んだモデルたちは、色とりどりのフェイクファーの靴でランウェイを闊歩し、人々に70年代のストリートの雰囲気を回想させた。 (NT)

Stephen JONES

スティーヴン・ジョーンズ
ヘア・アクセサリー（1994年秋冬）

Hair Accessory
1994年

土台のベレー帽を覆い尽くす黒のフェイクファーは生々しく、その艶めきが人毛を彷彿とさせる。本作は「帽子の魔術師」と異名をとるスティーヴン・ジョーンズによるもの。従来の帽子の枠に捉われないオブジェのような作風で知られる。奇抜さと優雅さを両立させた彼の作品は、ダイアナ元皇太子妃やビヨンセら著名人から愛され、ジョン・ガリアーノやヴィヴィアン・ウエストウッドをはじめとする多くの有名デザイナーたちのコレクションにもたびたび起用されている。　（NT）

GEORGE KNIES

ジョージ・ニーズ
ジャケット
Jacket
1930年代

1920年代から30年代の欧米では、中東やアフリカ、東洋の珍しい素材がこぞってファッションに取り入れられた。まるで人間の黒髪のような本作の毛もそのひとつ。アフリカ大陸の熱帯雨林に広く分布するオナガザル科のアビシニアコロブスという猿の毛と考えられる。1920年代にドレスの装飾の一部としてよく用いられ、30年代になるとコートやジャケットの素材として大流行した。　　　　　　　　　　　　　　　　　(NT)

Jean Théodore DUPAS

ジャン＝テオドール・デュパ

カタログ『Toi』

Catalogue "Toi"

1926年頃

パリの高級毛皮店マックスが発行した豪華カタログ。当時の人気作家コレットが文章を寄せ、画家として名を馳せていたジャン・デュパがイラストを担当した。冷ややかで抽象化された女性像と、柔らかくあたたかみを感じる毛皮との表現の対比が際立つ。

毛皮は古くから防寒用として使われ、コートには内側に用いられることが多かった。しかし、20世紀に入ると、進歩した染色やなめしなどの加工技術によってコートの外側の素材としてデザインされるようになり、毛皮コートの流行が広がった。こうした背景により、1900年前後から20年代にかけてマックスをはじめとする毛皮店が次々に創業し、毛皮部門を立ち上げるファッションブランドも相次いだ。

デュパは本カタログの出版前に、1925年にパリで開催された「現代産業装飾芸術国際博覧会」の中心的なパヴィリオンのひとつ「コレクショヌール館」において、暖炉上の装飾画《インコ》を手がけて話題をさらった。そこには本作に登場する無機質なマネキンのような女性が描かれていた。デュパの描く身体は、抽象的かつ現代的な女性像を標榜する時代に呼応し、当時のイラストレーターたちにも影響を与えた。　（NT）

fourrures max

rrures

fourrures max

fourrures
max

Chapter

2

MO

SUR

A Crazy Lo

歴史にみる奇想のモードへ

The Bizarre and the Mode Throughout History

　美しく装うことへの人類の欲望は計り知れない。人々は過去の歴史において、衣装を身に纏うことで完成される理想のバランスを獲得するために極端なまでに身体を歪めさせ、身体自体がドレスや靴の形に適したシルエットになるようにと躍起になった。

　例えばヨーロッパにおける細いウエストへの憧憬は、補正下着である〈コルセット〉を誕生させ、上流階級の人々を中心としてモードを司る重要なアイテムとして使用された。胸部下からウエストにかけてのラインを造形するために胴体をきつく締め上げたこの装置には鯨髭等の素材が用いらたが、16世紀には拷問具のような鉄製のコルセットも出現した。20世紀初頭、モード界に登場したポール・ポワレは女性をコルセットから解放したといわれているが、女性の社会進出とともに、過剰なまでに身体を締めつけるコルセットは衰退してゆくことになる。

　小さな足を女性美の基準とした中国では、指を裏側に折り曲げ足の形を著しく変形させて極小の靴を履く、永い〈纏足〉の歴史があった。激痛をともない歩行を妨げる過酷な慣習は、裕福な境遇の女性たちを中心としてその肉体を拘束したが、顔貌よりも足の小ささが尊重されるというフェティッシュな願望によって支配されたこの奇習は、約千年にもわたって存続し続けた。

p.30-31

紙製着せ替え人形

Paper dolls

1839-41年

本作は19世紀前期のファッション誌『Le bon ton, journal des modes』の付録として作られた紙製着せ替え人形。まだ既製服がほとんどなかった当時、装いのお手本として大人の女性たちに愛好された。正面だけでなく、後ろ姿も丹念に描き込まれたこのような形態の着せ替え人形は、1830年代から40年代のファッション誌付録にときどき見られる。本誌はフランスで1834年に刊行された人気の週刊ファッション誌で、装いの最新情報や文芸評論、詩など8ページの本文と2枚のファッション画で構成され、毎号、数枚の着せ替え用ドレスや帽子が添付されていた。　　　　　　　　　　　(NT)

コルセット

Corset

1880年頃

19世紀のコルセットは、過去のどの時代と比較しても加速度的にウエストをどんどん細く締めつけるようになった。締める紐も紐を通す穴もぐいぐいと力まかせに無理やり引っ張るので、すぐに破損するのが常であった。その対応策として、金属製の丈夫な鳩目が発明された。利便性の高い前開きタイプも普及していった。クリノリン・スタイル時代の1850年頃からは腰を細くみせることこそが、究極の美だというとんでもない評価が確立した。そのためコルセットは女性にとって絶対的で不可欠なものとなり、否応なしに常用者が増えていった。1860年代には、合成染料の生成の成功を受け、マゼンタ(深紅)、インディゴ(藍)、モーヴ(青紫)などのカラフルなコルセットが販売され、コルセット人気に拍車をかけた。本作はコルセット黄金期の作品。　　(KH)

纏足鞋

Pair of shoes for bound feet

19世紀末 - 20世紀初頭

纏足鞋

Pair of shoes for bound feet

19世紀末 - 20世紀初頭

纏足鞋

Pair of shoes for bound feet

19世紀末 - 20世紀初頭

中国の奇習、「纏足」。纏足とは、小さな足が美しいという美意識に基づき、幼児期より足に布を巻きつけ、著しく変形させて足が大きくならないようにした中国 (特に漢民族) の女性に対する習慣。その理想のサイズは、わずか長さ10cm、幅5cm。刺繍した美しい靴に包まれたその纏足は美しい蓮の花になぞらえて金蓮と呼ばれ、容姿以上にたいへん珍重された。唐時代の末期より100年前の20世紀前期まで1000年以上続き、纏足を施していない女性は、婚礼の対象にならないほど深く広く浸透した。纏足を見ることができる男性は夫ただひとり、父親さえも娘の纏足を見ることは叶わず、その貴重さが価値を生んでいたともいえる。纏足は歩行が極度に困難なため、女性の社会進出、教育機会を奪うなど中国近代化の大きな障害となっていった。　　　　　　　　　　　　　　　　　　　　　(KH)

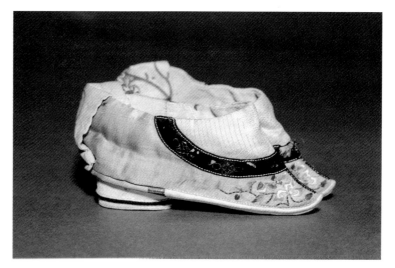

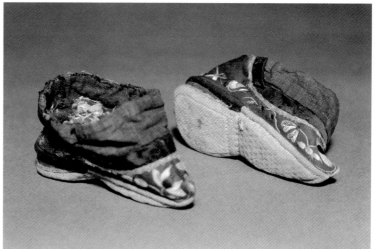

Chapter

3

髪へと向かう、狂気の愛

ヘアー

A Mad Love of Hair

死後の身体は腐敗して朽ちてゆくが、生前のかたちをそのままに留める髪には不可思議な存在感が宿っている。19世紀、死者を弔うために制作された〈モーニングジュエリー〉は、愛する者の身体の一部を肌身離さず身につけ、自らを装飾しようとしたものであり、死者の髪をロケットの中に写真とともに収め、ブローチの中に仕込むなどして使用され、モードに特異な風景を呈示した。髪への執着は、歴史をみれば、長ければ長いほど美しいとされた平安時代の黒髪や、高さを誇り贅沢に装飾されたロココ時代の髪型等に顕著に現れている。

　人体の一部である髪をモードの文脈に引き寄せようとする発想は、現代においてはドレス生地に金髪のイメージを転写させたマルタン・マルジェラのデザインにも見ることができる。また小谷元彦はインスタレーション作品の中で、実際の髪を編み込んだドレスを仕立てている。

ピアス

Pierced earrings

19世紀中期

ブローチ

Brooch

19世紀中期

19世紀半ば、髪細工技術の発達により、金具以外すべてを髪の毛でつくるヘアジュエリーがつくられるようになる。それまでヘアジュエリーは喪に服すためのモーニングジュエリーとして着用されていたが、恋人同士や家族の愛情の証としても身につけられるようになった。特に家族の髪を身につけることは、ファッション的にも社会的にも好意的に受け入れられていた。技法としては透かし細工に似せて編み込んだものや立体的なモティーフにしたものなど、さまざまな意匠が見られ、軽量でつけ心地がよかったことも流行の理由として挙げられる。　　　　（RK）

ブレスレット
Bracelet
19世紀中期－後期

幼い少女の写真が印象的なこのブレスレットは、モーニングジュエリー
と呼ばれる遺髪を用いた装身具である。モーニングジュエリーとは「朝
(Morning)」ではなく、「喪服(Mourning)」を示し、このブレスレット
のように故人の遺髪をジュエリーにしたものや、亡き人を偲ぶ喪服に合
わせた黒い素材、涙を表す真珠、故人の名前や命日を刻んだものなど
さまざまな意匠がある。ここではベゼルの内側のミニアチュールとベル
トに少女の遺髪が用いられている。ミニアチュールの花束は「愛」や「永
遠の記憶」を表す勿忘草であり、束の結びと花の中心部には小さな真
珠が設置されている。この真珠は当時からたいへん高価な天然真珠を
使用しており、依頼者の思いの丈がうかがえる。　　　　　　　　(RK)

ブローチ　　　ブローチ　　　ブローチ
Brooch　　　　Brooch　　　　Brooch
1846年　　　19世紀中期　　　1858年

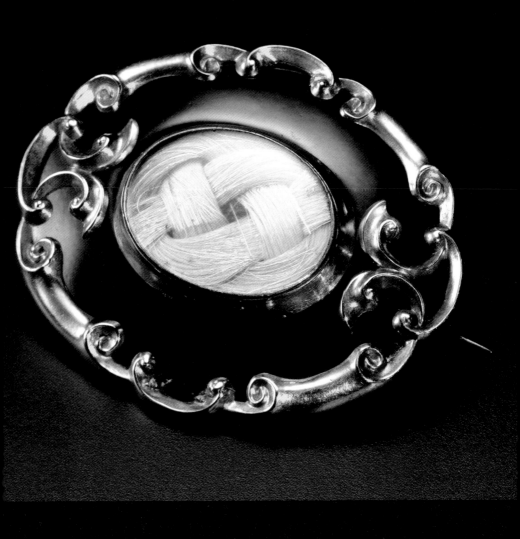

左上／上：金具の裏側に故人の名前と命日が刻まれたブローチ。モーニングジュエリーは亡くなった年号が彫られている場合が多く、年代が特定できるのが特徴のひとつである。黒い七宝の中心に布織りのような遺髪を入れたブローチには「James Bruce died 3th May 1858」、青い七宝の上にブーケのように遺髪を束ねてあるブローチには「Georgina Lewrence Jun 25th 1846」と記されている。当時の既婚女性は夫が亡くなると2年半、子どもが亡くなると1年、兄弟姉妹なら半年というように、一生の相当な期間を喪に服していた（当時の平均寿命は40歳から50歳）。また幼児の死亡率が高かったため、最愛の子どもを

亡くした母親が残りの生涯を喪服で過ごすことも珍しくなかった。
左下：白いガラスの上に髪を羽状に束ね、金線細工と天然真珠で根元を結ぶように装飾している。裏面も髪を保存できるよう布を敷いた容器になっているが、未使用になっている。
　金枠の豪華絢爛なヴィクトリア時代にふさわしいデザインは、レポゼと呼ばれる技法を用いて薄い金属板を裏から叩き、まるで金の塊から彫刻したような質感と立体感を表現している。また髪を彩る真珠も、養殖真珠が発明される前でたいへん高価だったため、小さな真珠を壊さずに半円カットにする技術が発明された。
　　　　　　　　　　　　　　　　　　　　　　　（RK）

ブローチ

Brooch

19世紀中期 - 後期

19世紀中期頃からイギリスでカメオが大流行し、イタリア旅行のお土産としてモザイクやカメオを持ち帰った。使われているのはイタリア南部のベスビオ火山から流れ出た溶岩で、ジュエリーの世界ではこの溶岩から彫られたカメオを「溶岩」を意味するラーバ（Lova）と呼ぶ。ラーバは柔らかく彫りやすいため、このバッカスのように立体的な作品が多く見られる。留め金を外すと半回転し、織物状にきれいにセットされた髪が現れるが、カメオの厚みでピンを留められないため、髪の面を表にして使用することはできない。また色が異なる髪を用いていることからふたり分の髪を使用した愛の証の可能性もある。　　　（RK）

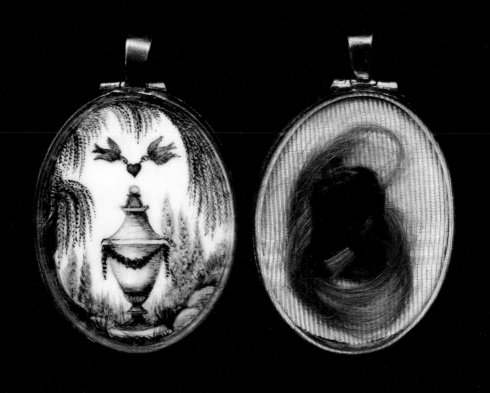

ペンダントトップ

Pendant top

19世紀初頭

セピアと呼ばれるこの技法は、土の茶色と血の赤を表すとされ、感傷的な要素を表現した作品が人気となった。髪の毛を刻んで部分的に張りつけているものもあるが、このペンダントトップはすべて墨で描かれている。中心にある壺はuroと呼ばれる骨壺で、ラテン語の「燃やす」を表す言葉に由来し、18世紀後半から19世紀初頭にかけて流行した新古典主義の代表的なモティーフである。当時イギリスでは埋葬が一般的だったが、骨壺は死の象徴として認識されており、枝垂れ柳は悲しみ、2羽の鳩は愛を表している。下から縦に開き、裏側に遺髪が込められている。　　　　(RK)

ロケット（ペンダントトップ）

Locket (pendant top)

19世紀中期 – 後期

本作はロケット型のモーニングジュエリーで、内側には遺髪と写真が込められている。ロケットの外側を飾るベルトのモティーフは19世紀に広く流行し、忠誠心や団結などを表すことから一般的な装身具にも多く使われた。一方でモーニングジュエリーに使われる際は永遠の記憶や愛の強さ、ベルトの内側に表現されるものを守る等の解釈がある。このロケットの場合はベルトに「IN・MEMORY・OF（〜を追悼して）」があることから、十字架にある「TIEGGIE」は亡くなった写真の人物を指すと推測される。 （RK）

Motohiko ODANI

小谷元彦
ダブル・エッジド・オヴ・ソウト
（ドレス02）
Double Edged of Thought (Dress 02)
1997年

既成概念にとらわれず、映像や写真、彫刻やインスタレーション作品等を幅広く手がけてきた小谷は、血液や骨、動物の剥製など、しばしば有機的な素材を意外性に満ちたかたちで再構築し呈示してみせる。夥しい髪の毛が三つ編みとなって編み込まれ、着装が可能なノースリーブのドレスとして仕立てられた本作は、京都生まれの小谷が幼少期に東本願寺でみた「毛綱（けづな）」の記憶が創作の源となっている。人体から伸びる髪と、生命体から分離しても存在し続け、「纏われる」無機質的対象物となった髪とは境界をなくして全身を覆う装置となる。しかし、そもそもの発端である身体から発した髪は、身に纏う衣服としては最も異質なデペイズマン的印象を宿す、強烈な視覚的違和を扇動させている。　（KJ）

Panteen

das erste Vitamin-Haarwasser

F. Hoffmann-La Roche & Co. A.G. Basel

PANTÈNE

LA LOTION VITAMINÉE

Wassermann S.A. Bâle

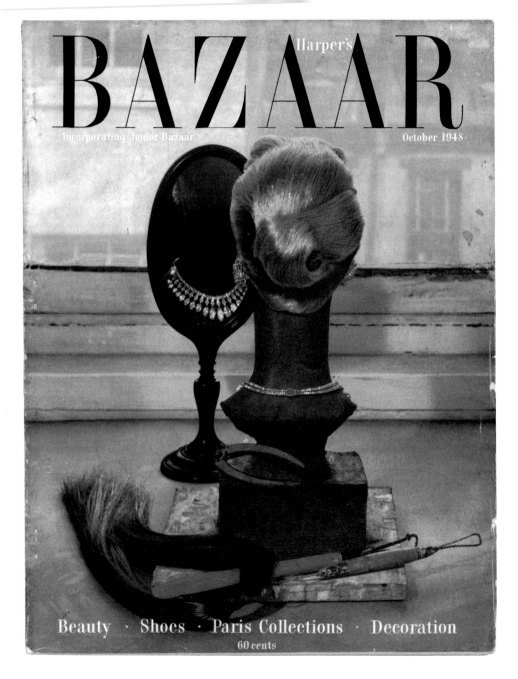

Harper's BAZAAR

Incorporating Junior Bazaar

October 1948

Beauty · Shoes · Paris Collections · Decoration

60 cents

Martin MARGIELA

p.50-51

マルタン・マルジェラ

ドレス（2004年秋冬）

Dress

2004年

ブロンドのまだらの髪がドレスのシルエットと呼応するかのように身体をなぞり、裾へと流れ落ちる。身体の一部である髪と服との境界が曖昧になった作品である。本コレクションで、マルジェラは皺を寄せたアルミホイルや編んだ籐の椅子などの画像を服に精巧にプリントし、幻惑を誘う作品を発表した。1989年春夏パリ・コレクションでデビューしたマルタン・マルジェラは、既存の価値観で固まった服の概念を次々に壊し、服の表現に新たな風穴を開けた。　　　（NT）

Herbert LEUPIN

p.52

ヘルベルト・ロイピン

パンテーン社ポスター

Panteen (white background)

1945年

p.53

ヘルベルト・ロイピン

Pantene 社ポスター

Pantène (black background)

1945年

パンテーンは、スイス・バーゼルの製薬会社エフ・ホフマン・ラ・ロシュ社から1945年に発売されたビタミン入りのヘアローションである。その販売開始年に、同じくバーゼルで活動していたポスター作家ヘルベルト・ロイピンよって手がけられた本作には、ドイツ語とフランス語で、それぞれ髪色を変えた白黒のバージョンがある。髪の美しさを、髪だけをモティーフとして即物的・写実的に表現する本作の特異性は、作家の伸び伸びとした、自信に溢れる優美な筆致とそれを表現する印刷技術の融合によって見事に打ち消されており、ただただ髪の美しさだけを印象に残すものになり得ている。　　　（IS）

p.54

『ハーパース・バザー』1948年10月号

表紙：作家不詳

Herpar's BAZAAR, October, 1948
Cover: Unknown

Chapter

4

MO

SUR

A Crazy Lo

エルザ・スキャパレッリ

Elsa SCHIAPARELLI

エルザ・スキャパレッリはその奇抜なアイデアで一世を風靡し、またシュルレアリスムに最も近い場所で活躍したファッション・デザイナーである。1890年、裕福な学者筋の家系のもとローマで誕生した彼女は第一次世界大戦後にパリに移住。1927年のデビュー時には、リボンやネクタイの絵柄を編み込んだ「トロンプルイユ（だまし絵）」的なセーターで、当時としては意表を突くアイデアにより瞬く間に注目を集めた。またジャン・コクトーやサルヴァドール・ダリらとのコラボレーションは有名であり、シュルレアリスムに共鳴した刺激的なモードを生み出した。鮮やかで特徴的な色──「ショッキングピンク」とは彼女の命名によるもので、香水もその挑戦的な戦略意図を反映させて「ショッキング」と名づけられた。

　7歳年上で同時代に活躍したココ・シャネルとは人気を分かつ好敵手であったが、孤児院で成長した反骨精神で息の長い事業を展開させたシャネルとは対照的に、ファッションの芸術性を重視した彼女のモードは、シュルレアリスムの時代をひとつの頂点として終息期を迎えていった。

Elsa SCHIAPARELLI

エルザ・スキャパレッリ
香水ペンダント
Perfume pendant
1977年

1977年にスキャパレッリの新しいデザイナーとして就任したセルジュ・ル
パージュ（SERGE LEPAGE）がコレクション「BOTTICELLINA」のた
めに特別に制作した限定ボトルペンダント。透明なガラス製のミニ香水
瓶は、《ショッキング》で使用された有名なボトルを模したもので、キャップ
と底面は金メッキの装飾が施され、底面には「BOTTICELLINA」
「Schiaparelli」「SERGE LEPAGE」の3つの刻印が入れられている。ま
た、1938年以降にショッキングとして販売されていたほぼ同型のボトル
ペンダントの底には「SHOCKING YOU」「Schiaparelli」「PARIS」
と彫られている。 (RK)

Elsa SCHIAPARELLI

エルザ・スキャパレッリ
香水瓶「Sleeping」
Perfume Bottle *Sleeping*
1939年

エルザ・スキャパレッリ
香水瓶「Snuff」
Perfume Bottle *Snuff*
1940年

エルザ・スキャパレッリ
香水瓶「Shocking」
Perfume Bottle *Shocking*
1937年

スキャパレッリの香水瓶というより、全作品中の代表作に数えられる奇想天外な
《ショッキング》。彼女の顧客で人気絶頂のハリウッド女優、メイ・ウエストから送られて
きた仮縫い用の正確なサイズのトルソをモティーフにした香水瓶は、巻き尺、金のヘッ
ドキャップ、肩は花で飾られている。香水瓶は、花嫁が戴く冠のレース模様が転写された
ガラスドームで覆われ、さらにそれらを収めるケースも高価なジュエリー・ケース風のデザ
インになっている。彼女のデザインを製品として完成させたのは、女性画家レオノール・
フィニとガラス工芸作家のピエール・カマン。イラスト広告はマルセル・ヴェルテスが担当
するなど、各分野の英知が集合している。バカラ製のガラスを使用した《スリーピング》、
スキャパレッリ初の男性用香水瓶《スナッフ（嗅ぎタバコ）》も掲載。　　　　　　(KH)

Elsa SCHIAPARELLI

エルザ・スキャパレッリ
ブローチ/イヤリング/ブレスレット
Brooch / Earring / Bracelet
1950年代

エルザ・スキャパレッリ
ブローチ
Brooch
1950年代

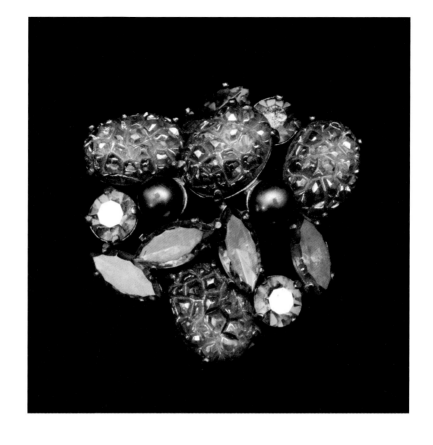

スキャパレッリはシャネルと並んで1920年代にコスチュームジュ
エリーを世に広めた人物である。彼女のコスチュームジュエリー
は、ファッション性はもちろん、ひとつひとつが、身につける芸術
品として完成されている。

　使われているアートガラスはすべて特注のため、パーツを留める
爪もデザインの邪魔にならないよう計算されている。ふたつの作
品を印象的にしている不自然なガラスパーツはLava Rock（溶岩
石）と呼ばれており、スキャパレッリの特徴である自然の様式化と
シュルレアリスムが色濃く反映されている。　　　　　（RK）

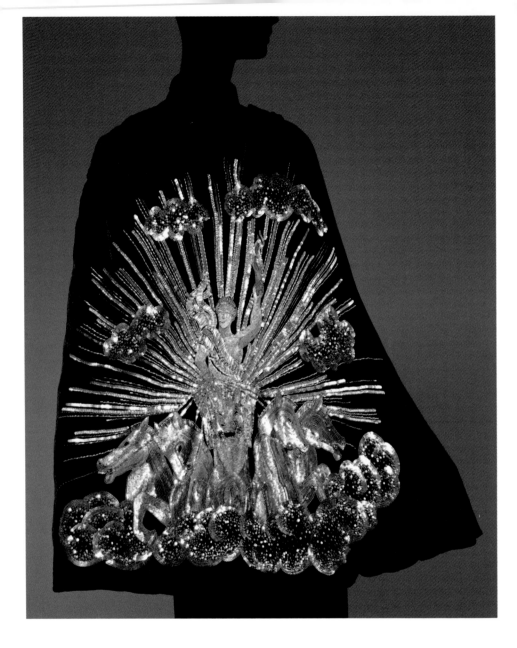

Elsa SCHIAPARELLI

p.64-65
エルザ・スキャパレッリ
イヴニング・ケープ
Evening Cape
1938年

ギリシア神話に登場する太陽神、アポロンが馬車で天空を翔ける姿を、金糸やシークインを用いた刺繍で表現した豪華なケープ。服が1枚の絵画に見立てられているかのようである。デザイン画は画家・舞台装飾家としてパリで活躍していたクリスチャン・ベラールが手がけた。1930年代、スキャパレッリはベラールをはじめ、ダリやコクトーといったシュルレアリスムの芸術家達とも交流を結び、彼らから多くのアイデアやインスピレーションを得ていた。刺繍はパリ随一ともいわれる刺繍工房ルサージュによるもの。スキャパレッリらオートクチュール店がこぞって刺繍を発注した。　　　　　　　　　　　（NT）

p.66-67
エルザ・スキャパレッリ
イヴニング・ドレス（1935年夏）
Evening Dress
1935年

1930年代はプリント柄のロング・ドレスが流行した時期だが、スキャパレッリはユーモラスな図柄を使用して他のデザイナーと一線を画した。本作は色とりどりのマッチ柄をイヴニング・ドレスに大胆に取り入れている。それはシュルレアリスムの芸術家たちが生活のなかの実用品をハイ・アートの主題として採用したように、スキャパレッリもまた、オートクチュールという権威ある世界に何気ない日常の題材をもち込み、ウィットに富んだドレスを次々に披露してみせた。　　　　　　　　　　　（NT）

p.68, 70
エルザ・スキャパレッリ
イヴニング・ドレス
Evening Dress
1952年頃

1936年、ジャン・クレマンによりピンクとマゼンタを融合した炎のような赤紫が調合された。スキャパレッリはたいへん気に入り、直ちに「ショッキングピンク」と名づけ、すべてのドレスをこの色によるコレクションを発表。この色は彼女の代名詞となる。37年に発表された香水瓶「ショッキング」のデザインモティーフはハリウッド女優メイ・ウエストの上半身、同年ダリが発表した20世紀で最もセンセーショナルな家具と称される「メイ・ウエストの唇ソファ」の唇型の造形は世界を驚愕させた。この胸元が唇のかたちになっているピンクのシルクファイユのドレスは、アートとファッションを融合させたデザイナーである彼女の面目躍如となる作品といえよう。新しいもの好きでも知られ、1935年にオートクチュールで初めてファスナーを導入した。　　　　　　（KH）

p.69, 70
エルザ・スキャパレッリ
イヴニング・ケープ
Evening Cape
1937年

黒いシルクベルベットの長いケープは、肩と胸にモアレの大きな蝶型ヘアー・リボンが4つ付き、襟には刺繍工房ルサージュによる麦の穂と蔦柄の見事な黒糸刺繍が施されている。裏地はモアレ。　　　　　　　　　（KH）

帽子飾り

Hat ornament

1900年頃

鳥の羽根を身体の一部に飾ることは、あらゆる時代や地域に見られるが、西洋ファッションにおいて鳥を剥製にして帽子飾りに使う流行は、主に19世紀後半から20世紀前半にかけて盛り上がりをみせる。鳥は珍しければ珍しいほど稀少価値が上がり、色彩豊かな鳥がさまざまな地域から欧米へもたらされて女性たちの頭上に配された。特に1900年から1915年頃は帽子そのものが巨大かつエキセントリックで装飾も華美になり、次々と鳥の剥製つき帽子が生み出された。　　　（NT）

Elsa SCHIAPARELLI

エルザ・スキャパレッリ
帽子
Hat
1940年代

エルザ・スキャパレッリ
帽子
Hat
1940年代

サギの尾が大胆に配された帽子。装いを完成させるアイテムとして帽子が欠かせなかった1940年代、このような大ぶりの羽根がついた帽子や髪飾りが流行する。とりわけ第二次世界大戦中は物資不足のために服が簡素になるなか、唯一帽子におしゃれが許容され、そこに創造性が発揮された。スキャパレッリは1930年代から40年代にかけて独創的な帽子を次々に制作し、靴やロブスターを模したものなど時に奇抜で意表を突く作品で人々を驚かせた。　　　　　（NT）

帽子

Hat

1950年代

樹脂や絹のモール糸で精巧に作られた帽子。
各々のモティーフは判然としないものの、花の
つぼみや枝、苔、また銀光りしているものはナメ
クジのような軟体動物を思わせる。それまで大
ぶりの形が多かった帽子は1950年代に入ると
小ぶりのものが増え、とりわけイヴニング用に
本作のように小型のものが主流になった。それ
ゆえ表面はディテールに趣向が凝らされ、オリ
ジナリティーが競われた。　　　　　　（NT）

Chapter

5

MO

SUR

A Crazy Lo

シュルレアリスムとモード

Surrealism and Mode

　シュルレアリスム運動は、その表現にモード的要素を数多く内包していた。1938年にパリで開催されたシュルレアリスム国際展には等身大の16体のマネキンが登場し、マックス・エルンスト、サルヴァドール・ダリ、マン・レイ、イヴ・タンギーをはじめとする16名の作家たちが、思い思いにこれを飾り立て、展覧会を演出した。

　モードに関する重要な情報発信源として、1867年にニューヨークで創刊したファッション雑誌『ハーパース・バザー』は、1910年代から30年代前半にかけてはアール・デコのイラストレーターが表紙を飾ったが、30年代後半になると、カッサンドルによる一連の表紙にシュルレアリスムの影響が色濃く反映されるようになり、それまでのモード誌のイメージを一新させることになる。1892年に創刊した『ヴォーグ』もまた、同時期にはシュルレアリストのピエール・ロワやジョルジュ・ルパープらが表紙に超現実的なイラストを描き、サルヴァドール・ダリやデ・キリコも作品を提供した。

『ヴォーグ』1939年6月1日号
表紙：サルヴァドール・ダリ

Vogue, June 1, 1939
Cover: Salvador Dalí

サルヴァドール・ダリは『ヴォーグ』誌に数回に分けて表紙を提供しているが、初めて手がけられたのが本誌である。本作には縄跳びに興じる『不思議の国のアリス』が描かれ、手前の女性の頭部は薔薇で覆われている。薔薇の頭部の女性は、1936年のシュルレアリスム国際展がロンドンで開催された際、トラファルガー・スクエアに現れてパフォーマンスを行ったシュルレアリスト、シーラ・レッグを描いたものであり、その後のダリの作品にもたびたび登場することになる。 (KJ)

BEACH FASHIONS · BEAUTY   JUNE 1, 1939 · PRICE 35 CENTS

⌒裁縫とシュルレアリスム

Needlework and Surrealism

シュルレアリスムの表現においては、裁縫にまつわる
イマージュがたびたび登場する。互いに異なる機能性や
要素を備えたふたつ以上の対象物を転置させ出逢わせる
ことによって、常識的な予測を覆す、刺激に満ちた表現を
導き出すことを企図した〈デペイズマン〉の手法はシュルレ
アリスムの常套手段であったが、シュルレアリストに影響
を与えたロートレアモンによる一節「解剖台の上のミシンと
蝙蝠傘の偶然の出会いのように美しい」は、のちにこの
思想を象徴する句となった。ここではミシンが重要なイメー
ジ要素となっており、ミシンやアイロンといった裁縫道具
を作品に多用するマン・レイは、この言葉を写真作品として
視覚化してみせた。アイロンの底に釘を一列に取りつけた
作品《贈り物》や、内側にミシンを仕込んだ《イシドール・
デュカスの謎》といった彼の代表作もまた、アイロンやミシ
ンがモティーフとなっており、シュルレアリスムと裁縫のイ
マージュとの親和性が感じられるものである。

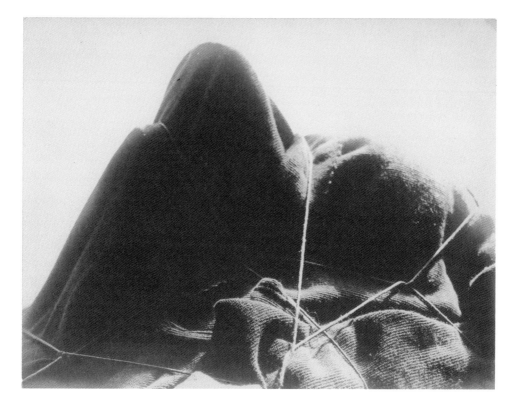

Man RAY

マン・レイ
イシドール・デュカスの謎
The Enigma of Isidor Ducasse
1920年

本作は同題のオブジェを撮影したもので、マン・レイの初期時代の代表的な写真作品。イジドール・デュカスとは、マン・レイがニューヨーク郊外のリッジフィールドで知り合い、のちに結婚したベルギー人女性アドン・ラクロワから紹介されたフランスの詩人ロートレアモンの本名のこと。このオブジェは、彼の詩『マルドロールの詩』の中の「解剖台の上のミシンと蝙蝠傘の偶然の出会いのように美しい」との一節から着想を得ており、ミシンを麻布で覆い、ロープが巻きつけてある。本作はのちにパリで発行された『シュルレアリスム革命』の創刊号(1924年10月)にも掲載された。　　(KM)

Josef CORNELL

ジョセフ・コーネル
無題
Untitled
1931年
『ハーパース・バザー』1937年2月号より

ジョセフ・コーネル
無題
Untitled
1931年
『ハーパース・バザー』1937年2月号より

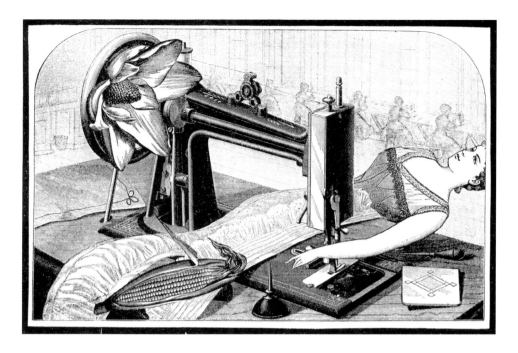

アメリカにおけるシュルレアリスム発信の場となったジュリアン・レヴィ・ギャラリーが1931年、ニューヨークで開廊。ここでマックス・エルンストの『百頭女』をみたことがきっかけとなり、これに倣ったコラージュ作品を手がけるようになったことが、作家のその後の創作活動につながっていった。同じ時期に制作された初期のコラージュ作品（p.85）は、シュルレアリスムの文脈でたびたび取り上げられており、『ハーパース・バザー』誌にも掲載された。ミシンが縫い合わせようとしているのは、女性の身につけられたままの19世紀のものと覚しきドレスであり、コーネルの霊感の源であったエルンストの影響を色濃く留めている。 （KJ）

Man RAY

マン・レイ

**解剖台の上のミシンと蝙蝠傘の
偶然の出会いのように美しい**

Beautiful like the Accidental Encounter
between a Sewing Machine and
an Umbrella on a Dissection Table

1935年頃

シュルレアリスムにインスピレーションを与えた詩人、ロートレアモンの『マルドロールの詩』の一節「解剖台の上のミシンと蝙蝠傘の偶然の出会いのように美しい」を視覚化したといえる作品である。解剖台という非日常の空間で、雨傘とミシンという全く異なる機能性をもつふたつの日用品を出会わせることで、驚くような未知の表現を導き出そうとした、シュルレアリストらによるデペイズマンの手法を象徴するものである。マン・レイのオブジェ作品には、ミシンやアイロンといった洋裁用具が印象的に引用されているが、仕立屋の息子であった作家の出自とも重なり合って興味深い。 (KJ)

マン・レイ
贈り物
Gift
1921 / 72 年

マン・レイは1921年12月、リブレリー・シス画廊において、パリで初めての個展を開催した。原作は個展初日にマン・レイと作曲家エリック・サティが出会い、ふたりでカフェに出かけた帰り道に金物屋でマン・レイが購入したアイロンと鋲を使って、会場で制作された。マン・レイは展覧会を企画してくれたフィリップ・スーポーへの贈り物にしようとしたが、原作は初日のうちに何者かに盗まれてしまったという。彼はこのオブジェを写真に残しており、後年幾度もリメイクしている。本作は1974年12月から75年1月にかけてニューヨーク文化センターで開催され、その後ロンドン、ローマに巡回したマン・レイの回顧展に合わせて制作された200点のうちの1点である。　　　　（KM）

Heinrich MAHLER

ハインリッヒ・マーラー
PKZ社ポスター
PKZ
1939年

PKZは、1888年スイスのチューリッヒにパウル・ケールによって創立され、現在も存続するアパレルブランド。スイスで最初の大規模紳士服店を開いたPKZは、草創期からポスターを積極的に活用したことで知られ、多くの作家がポスター史を彩る名作を残した。本作もそのひとつである。マネキン（トルソ）に左半身だけのジャケット、花束、採寸用の3色メジャーが夢幻的に配された画面は、抑制の効いた華やぎを感じさせるが、その即物的表現によって、自分のためだけの、最高のオーダーメイドを望む顧客のダンディズムが、いかに美しいものであるかを象徴的に物語っている。　　　　(IS)

WOLFSBERG-DRUCK ZURICH

|089|

『ハーパース・バザー』1937年2月号
表紙：アドルフ・ムーロン・カッサンドル

Harper's BAZAAR, February, 1937
Cover: Adolphe Mouron Cassandre

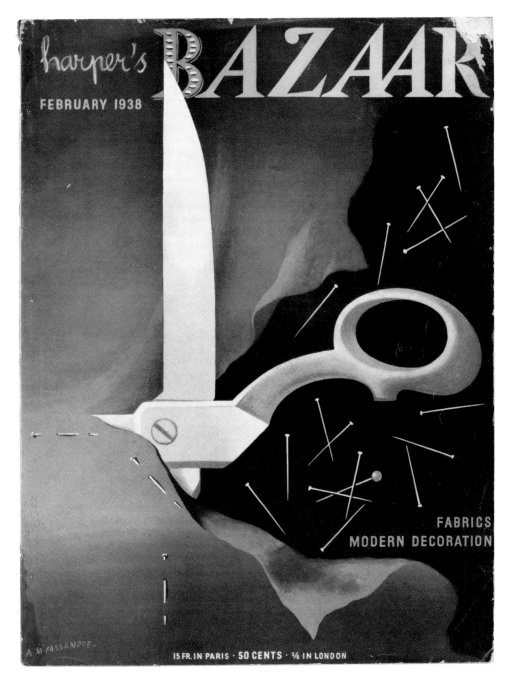

『ハーパース・バザー』1938年2月号
表紙：アドルフ・ムーロン・カッサンドル

Harper's BAZAAR, February, 1938
Cover: Adolphe Mouron Cassandre

Takeshi WATANABE

渡辺 武
祈り
Prayer
1938年

渡辺が帝国美術学校（現・武蔵野美術大学）の友人たちと結成したグループ「ジュンヌ・オム」の第2回展の出品作。同校ではシュルレアリスムに刺激を受けた学生たちが次々にグループを結成した。彼らの中には絵画のみならず、映画に関心を寄せるものも多く、この作品の発表当時、渡辺は同校を卒業し、P.C.L（現・東宝映画）に勤務していた。
　ドレスやタキシードに身を包んだ人物が点在するこの作品は舞台や映画の一場面のようである。空に浮かぶ雲は人の横顔や鳥にも見える、ダブル・イメージで描かれている。地平線と水平線が強調されていることや祈りを捧げる女性の姿や蟻の群がるオブジェはサルヴァドール・ダリの作品を連想させる。この当時、ダリの作品は美術雑誌や洋書を通じて紹介され、若手の画家たちを中心に日本でもその影響が広まった。（SH）

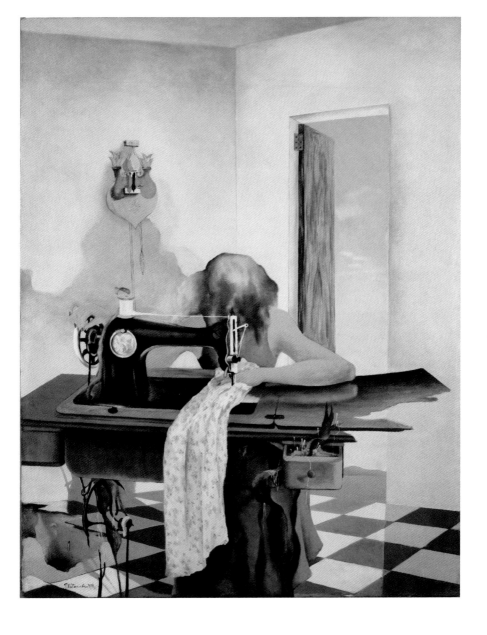

渡辺 武
風化
Weathering
1939年

本作はジュンヌ・オムの第4回展に出品された。この作品においても、開いた
木戸の隙間から見える果てしない大地や光と影を強調した表現にダリの作品
からの影響が読み取れる。

　色鮮やかなドレスに身を包み、花柄の布にミシンをかける女性は一見したと
ころモダンで華やかである。しかし、女性やミシンの足や台の一部は溶けるよ
うに崩れ、まさに風化が始まっているように見える。ここには、日中戦争開戦
後のしだいに戦時色が濃くなっていく、当時の日本の不穏な状況が反映され
ているようだ。画家たちも戦争に駆り出された。渡辺は1944年に召集を受け、
1945年に沖縄で戦死した。　　　　　　　　　　　　　　　　　　　　（SH）

Chapter

5-2

分断化された身体へ

The Split Body

分断化された身体のパーツの引用は、シュルレアリスムの文脈においては枚挙に暇がない。例えばサルヴァドール・ダリが、監督のルイス・ブニュエルとともに脚本を手がけた映画『アンダルシアの犬』では、剃刀で切り裂かれる眼のイメージを発端に、口と腋毛は転置して入れ替わり、穿たれた掌の穴から蟻が這い出してくる手首が登場する。それらは映像を司る中核的なモティーフとして、役者たちを凌駕するような強烈な印象を刻みつけていた。

　物体に本来備わる意味や機能性から対象物を引き離し、物そのものの存在に注目して視る者を刺激した〈オブジェ〉の概念は、シュルレアリスムを象徴する作品への重要なアプローチのひとつであった。そして身体もまた、眼や唇、手といった部分へと分断化されることによって、生身の人間ではなくオブジェとしての自立的モティーフとなった。身体のある部位への偏執狂的な固執や身体の分断化は、「自動記述法（エクリチュール・オートマティック）」において、文脈の読み取れない単位にまで文章を解体し、無意識の状態へ至ろうとした運動胎動期におけるシュルレアリストたちの所作と相似形をなすものである。

INTERNATIONAL SURREALIST EXHIBITION

NEW BURLINGTON GALLERIES

Open 10 a.m.
to 5.30 p.m.

JUNE 12TH TO JULY 4TH

ADMISSION
1/3

Max ERNST

p.95

マックス・エルンスト

シュルレアリスム国際展ポスター

International Surrealist Exhibition /
New Burlington Galleries

1936年

ロンドンで開催されたイギリスで最初の、重要なシュルレアリスム展の告知ポスター。マックス・エルンスト自身も同展に参加した。活版刷りの本ポスターは、イギリス製の活字(ギル・サン)によって告知文が印字され、それを見下ろすように、コラージュによって姿を変えられた芸術神アポロンが置かれている。画面を周遊するように配された6つの指さす手首*は、提示された告知文を過剰に強調することで、告知メディアとしてのポスターに潜む記号性、命令性をことさらに暴きたてているようである。　　　　　　　　　　(IS)

* 装飾活字の一種で「マニキュル」と称される。活版印刷より以前、すなわちルネサンス以前から今日まで用いられてきた最も古い指示記号のひとつ。

Paul ÉLUARD / Man RAY

ポール・エリュアール /
マン・レイ

『容易』

Facile

1935年

ポール・エリュアール /
マン・レイ

『自由な手』

Les mains libres

1937年

上:詩人であり友人であったポール・エリュアールとの共作として770部限定で発刊された16ページ立ての写真集。女性の裸体や手袋を被写体とした12点のマン・レイの写真に対して、エリュアールの詩が添えられている。写真のモデルとなった女性はフランス・アルザス地方出身で、エリュアールの2番目の妻ニュッシュである。本書はマン・レイが写真を生業とした最終盤の時期に制作された、彼の写真芸術のハイライトともいえる書。本書にはソラリゼーション(マン・レイが助手兼恋人のリー・ミラーとともに考案した独自の写真技法)を駆使し、撮影されたマン・レイのポートレイト写真が付録として収録されている。
下:1936年、37年とマン・レイは恋人のアディ(アドリエンヌ・フィドラン)を連れ、ポール・エリュアール夫妻、パブロ・ピカソ、ドラ・マールらと南仏で夏を過ごしている。その際、ノートを持ち歩き、ことあるごとにスケッチしたといい、本書はそのスケッチをまとめるかたちで675部限定で刊行された、マン・レイとエリュアールによる詩画集である。I、II、サド、ポートレイト、ディテールの5章で構成されている。タイトルの『自由な手』の「手(フランス語でMain)」を「マン」と読むと、「自由なマン(・レイ)」とも解釈できる。また本書にはマン・レイのかつての恋人キキによるメモ書きが2ヵ所残されており、いずれも彼への愛着を感じさせる。　　　　　　　　　　(KM)

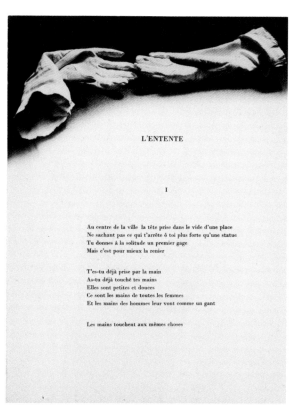

L'ENTENTE

I

Au centre de la ville la tête prise dans le vide d'une place
Ne sachant pas ce qui t'arrête ô toi plus forte qu'une statue
Tu donnes à la solitude un premier gage
Mais c'est pour mieux la renier

T'es-tu déjà prise par la main
As-tu déjà touché tes mains
Elles sont petites et douces
Ce sont les mains de toutes les femmes
Et les mains des hommes leur vont comme un gant

Les mains touchent aux mêmes choses

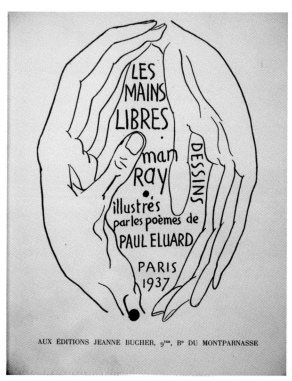

AUX ÉDITIONS JEANNE BUCHER, 9ᵀᴱᴿ, Bᵈ DU MONTPARNASSE

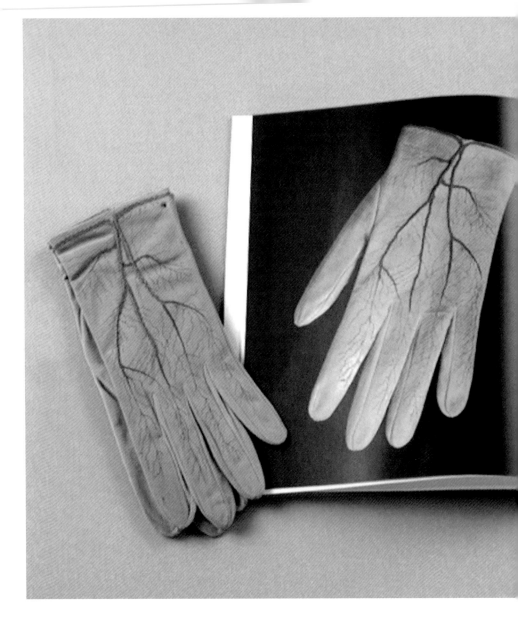

Meret OPPENHEIM

メレット・オッペンハイム
『パルケット』4号 デラックス版　メレット・オッペンハイム：手袋
Deluxe Edition *PARKETT* No. 4　Meret Oppenheim: Glove
1985年

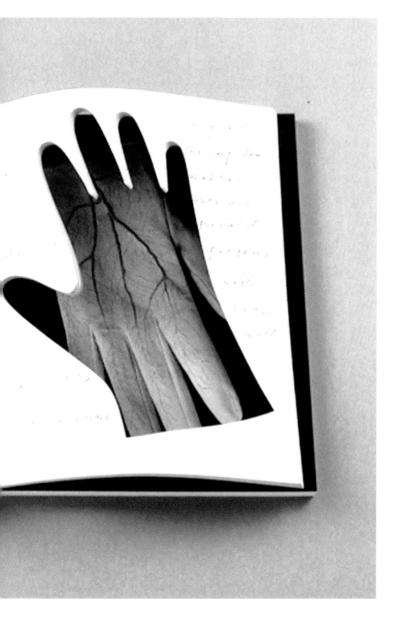

オッペンハイムは1936年、シュルレアリスムのオブジェの展覧会に、毛皮で覆われた
ティーカップのオブジェを発表して一躍有名になる。同時に彼女は、毛皮で覆われたブレ
スレット等、スキャパレッリに依頼された装身具のデザインを行っていた。またこの頃、毛
皮で覆われた手袋や骨の構造を見せる手袋等、いくつもの手袋をデザインしていたとい
う。本作はそのうちのひとつ。1936年のデッサンをもとに、スエード革にシルクスクリーン
と手刺繍を施したマルティプルとして1985年に150組制作された。現代美術の雑誌『パ
ルケット』のオッペンハイム特集号に、作家のテキストとドローイングが施された手袋型の
切り抜きページとともに収められた。青白い手の甲にピンク色の静脈が浮き出た手袋は、
外側に露出した身体の内部を再び身に纏うかのような魅惑的な作品である。　　　　(SY)

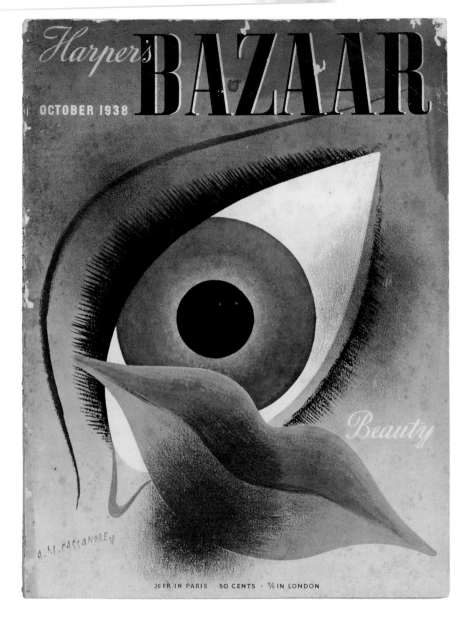

『ハーパース・バザー』1938年10月号
表紙：アドルフ・ムーロン・カッサンドル

Harper's BAZAAR, October, 1938
Cover: Adolphe Mouron Cassandre

鬱蒼としたまつ毛に縁取られ、その奥の虹彩に吸い込まれそうになる瞳の上に
は、シルエットとして切り抜かれた唇が重ねられている。『ハーパース・バザー』誌の
辣腕ディレクターとして名を馳せたアレクセイ・ブロドヴィッチが、1937年よりカッ
サンドルのイラストレーションを表紙として採用したことは、同誌の歴史におい
て画期的な試みだった。作家はシュルレアリスム運動の当事者でこそなかったも
のの、シュルレアリスム全盛期において、その明らかな影響をみて取ることがで
きる。1910年代から20年代のアール・デコ調の表紙から、戦後モデルを写真撮
影するファッション雑誌が主流となる端境期において、彼はファッション誌の表
紙とは思えないような、人々の意表を突くような表紙を次々と生み出した。（KJ）

Harry GORDON

ハリー・ゴードン
ポスター・ドレス
Poster Dress
1968年頃

ドレス全体に大きくプリントされた片眼はリアルでは
あるが、1920年代にサルヴァドール・ダリやルイス・ブ
ニュエルが眼を象徴的に扱った作品のような不安感
はなく、60年代の軽快さや若々しさが際立つ作品で
ある。本作は当時、イギリスで量産された紙製のドレ
ス。厳密にいえば不織布であるが、「ペーパー・ドレス」
という総称で同類のものが欧米を中心に大量に出
回った。衣服にも大量生産、大量消費時代が到来し
たことを告げる代表的な作品である。　　　　（NT）

Chapter

5-3

物言わぬマネキンたち

Speechless Mannequins

洋服を着せつけるための人体の代替品であるマネキンは、
人間のかたちをした無機質的なオブジェであり、このモティー
フもまたシュルレアリストらによって好んで用いられたもの
である。シュルレアリストらによって飾りつけられた16体の
マネキンが登場した1938年のシュルレアリスム国際展で
はさらに、サルヴァドール・ダリの《雨降りタクシー》が展示
されたが、タクシーの中には車内に降り注ぐ「雨」でずぶ濡
れになる2体のマネキンが据えられ、マネキンには生きた
カタツムリが這い回って強烈なインパクトを与えた。

　シュルレアリストに影響を与えた形而上学絵画の画家、
ジョルジョ・デ・キリコの作品には、独特の作風である、
顔のない卵型の頭部をもつマネキンがしばしば登場する。
またシュルレアリストらに見出され、彼らに霊感を与えた
写真家ウジェーヌ・アジェは、人気のないパリの街を記録
に留めている。撮影された数多くの風景写真の傍らで、
歴史の面影を留める街頭に浮かび上がるオブジェとして
散見されるマネキンの存在は印象的である。プラハで活躍
したチェコのシュルレアリスト、インジフ・シュティルスキー
や、ドイツの作家ハンス・ベルメールによる球体関節人形
等、マネキンに付随するイマージュは、シュルレアリストら
による数多くの作品で重要な役割を担った。

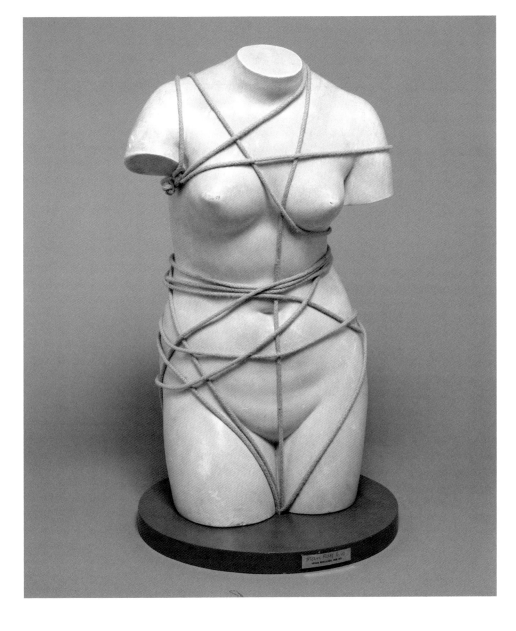

Man RAY

マン・レイ
修復されたヴィーナス
Venus Restored
1936/71年

台座のプレートから原作が1936年に制作され、本作は1971年に再制作されたとわかる。マン・レイは自伝で「(大戦前の最後の数年間)絵画、素描、そしてシュルレアリスムのオブジェ(これは彫刻のかわりである)の制作にも没頭した」*と語っている。ここでマン・レイはオブジェの補足として「彫刻のかわり」という言葉を使っているが、原作(および本作)では石膏彫刻をそのまま用いており、それを縛りつけることによって、彫刻として「修復された」、言うなれば「オブジェとして生まれ変わった」というような意味合いを付加しているとも考えられ、興味深い。　　(KM)

* マン・レイ『マン・レイ自伝 セルフ・ポートレート』千葉茂夫訳、美術公論社、1981年、p.289より引用。

Man RAY

マン・レイ
室内または静物＋部屋
Interior or Still Life + Room
1918年

マン・レイは1918年、ニューヨークのグリニッチ・ヴィレッジ47西8丁目に
あった彼のアパートの隣の地下にスタジオを構えた。借りる前のスタジオは
物で溢れていたが、彼は家主の女性にお願いし、いくつかの家具と2体の
古い縫製用のマネキンを残してもらったという。画面右側に描かれているの
が、そのうちの1体と思われる。また同様のマネキンをモティーフとしたアエ
ログラフ（エアスプレーを使用した絵画技法）の作品も存在する。背景には
マン・レイが1914年に制作した《聖母》（コロンバス美術館蔵）をみることも
できる。タイトルの「または静物＋部屋」からは、画面中心に置かれたテーブ
ル上の花が描かれることの重要性を物語っている。　　　　　　　　（KM）

Xanti SCHAWINSKY

ザンティ・シャヴィンスキー
プリンケプス社ポスター

Princeps S.A. Cervo Italia
1934年

イタリアのチェルヴォにある帽子メーカー、プリンケプス社の広告。プリンケプスは「第一人者」を意味する古代ローマ時代のラテン語である。白手袋に濃緑の中折れ帽、ギリシア彫刻(オクタウィアヌス)のみで構成されたシンプルな画面は、シュルレアリスムに特有の即物性を備えており、同社のエレガンスと精神性を象徴的に伝えている。作者のザンティ・シャヴィンスキーは、バウハウスで学び、のちにブラック・マウンテン・カレッジで教えたスイス・バーゼル生まれの写真家・商業美術家・劇場美術家で、当時ナチス・ドイツの難を逃れ、イタリアのスタジオ・ボジェーリに在籍していた。 (IS)

Giorgio DE CHIRICO

ジョルジョ・デ・キリコ
ヘクトールとアンドロマケー
Hector and Andromache
1930年頃

象徴派の画家ベックリンやクリンガー、哲学者のニーチェやショーペンハウエルの思想に影響を受け、日常の深層に潜む神秘を暗示するような世界を描出したデ・キリコの絵画は「形而上絵画」と呼ばれ、無意識下の世界に注目したシュルレアリストたちに影響を与えた。擬人化されたオブジェの集積として佇む2体のマネキンは、ホメロスによるギリシアの叙事詩『イリアス』に登場するトロイアの王ヘクトールと王妃アンドロマケーであり、死が待つ戦場へ出征しようとする夫とそれを見送る妻として描かれている。作家は1917年にイタリアのフェラーラで本シリーズの着想を得て以来、長い年月をかけて本主題に取り組み繰り返し描いた。顔のない卵型の頭部をもつ彫像として、そのマネキンの無機的な存在感は、彼の作風を特徴づけるものである。　　　　（KJ）

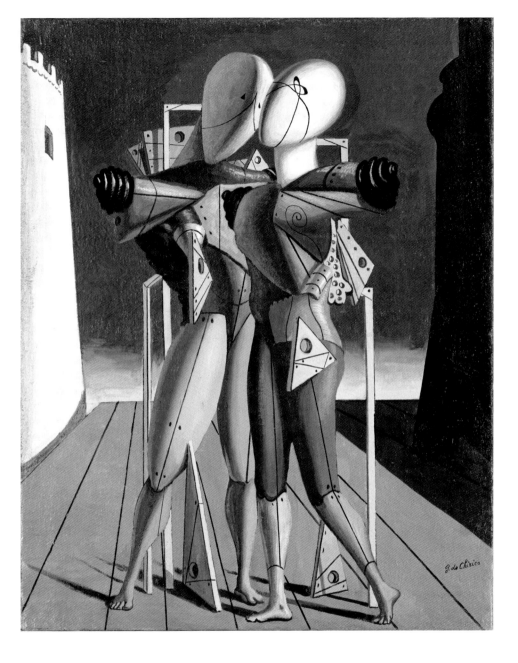

Terushichi HIRAI

平井輝七	平井輝七
モード	**生命**
Mode	Life
1938年	1938年

大阪に生まれ、関西のアマチュア写真団体「浪華写真倶楽部」「丹平写真倶楽部」の会員として活躍した平井は、1937年に花和銀吾、本庄光郎等と「アヴァンギャルド造影集団」を結成し、関西の前衛写真運動を牽引した。「独逸国際移動写真展」(1931年)でのラースロー・モホイ＝ナジ、ヘルベルト・バイヤー等のフォトグラム、フォトモンタージュを駆使した作品、「海外超現実主義作品展」(1937年、企画：瀧口修三、山中散生)に出品されたマックス・エルンスト、ルネ・マグリット等、ヨーロッパのシュルレアリストによる作品は、当時のアマチュア写真家たちにも大きな影響を与えている。平井の《モード》《生命》も例外ではない。意外なオブジェを組み合わせた構成、モノクロームの印画紙への着色、平井の作品は写真表現の可能性を広げた野心的な試みであった。　　　　　　　(KaH)

Eugène ATGET

ウジェーヌ・アジェ
紳士服店、ゴブラン通り
Men's clothing store,
Gobelins Street
1925年

ウジェーヌ・アジェ
マネキン
Mannequin
1926-27年

アジェは1898年 41歳のときから約30年間、歴史的建造物、街並み、店先、室内、看板、公園、路上で働く人々等、8,000枚におよぶ19世紀のパリの姿を撮影した。1925年マン・レイの助手であったベレニス・アボットは、アジェの写真に感銘を受け、その死後、ギャラリストのジュリアン・レヴィと協力し写真の散逸を防ぐために奔走した。アボットは1930-60年の間にアジェのガラス乾板からゼラチンシルヴァープリントを制作している。《紳士服店、ゴブラン通り》《マネキン》も、1956年にアジェ生誕100年を記念して制作されたアボットによるアジェのプリント20点を1セットにして販売したポートフォリオに含まれた作品である。記録に徹したアジェの写真は、20世紀の新しい美術の息吹と呼応し、シュルレアリストをはじめ多くの人々の心を捉えた。　（KaH）

Jindřich ŠTYRSKÝ

インジフ・シュティルスキー
この頃の針の上で
On the Needles of These Days
1934-35年

インジフ・シュティルスキー
この頃の針の上で
On the Needles of These Days
1934-35年

1925年、トワイヤンとともにパリに移住したシュティルスキーは、同地でシュルレアリストらと親交を結び、カレル・タイゲらによって立ち上げられたチェコの前衛的芸術家集団、デヴィエトスィルに参加。その後チェコのシュルレアリスト・グループの主要メンバーとして、絵画やコラージュ、舞台美術や写真など幅広いメディアによる活動を展開した。本作シリーズでは、街頭に飾られた看板やオブジェに注目しており、ショーウィンドウに飾られたマネキンや分断された手の模型、義足、鬘を被ったマネキンの頭部といった、いわば解体されたマネキンのイマージュが中軸となっている。第一次世界大戦中、言語統制によって使用を禁止された母国語が、唯一操り人形の舞台でのみ使用を認められたというプラハの闇の歴史をも想起させる作品である。　　　　　　　　（KJ）

Jindřich ŠTYRSKÝ

インジフ・シュティルスキー
この頃の針の上で
On the Needles of These Days
1934-35年

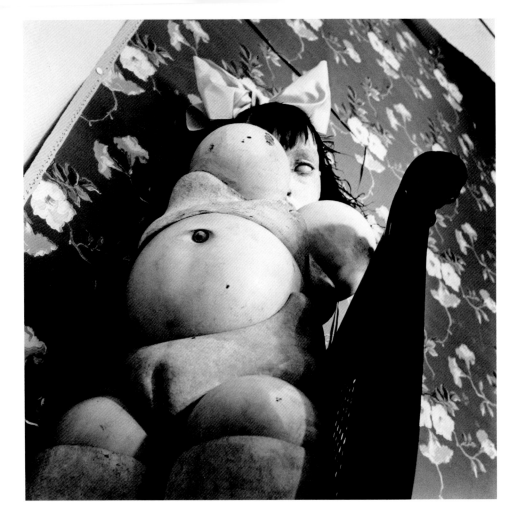

Hans BELLMER

ハンス・ベルメール

人形

La poupée

1935年

ハンス・ベルメール

人形

La poupée

1935年

Hans BELLMER

ハンス・ベルメール

人形の遊び

Les jeux de la Poupée

1935-49 年頃

ベルメールの人形にはエロスとタナトスの陰りが見える。ドイツ（現ポーランド）のカトヴィツェに生まれたベルメールは、父性とナチズムへの対抗心を根底に抱えつつ、ナチスが政権を掌握した1933年に木彫による少女の人形制作を開始した。翌年、自ら作品を撮影して10枚の写真作品を掲載し自費出版した写真集はパリのシュルレアリストらに歓迎され、1938年以降同地に移住して運動に加わった。人形に球体の関節を取りつけることによって身体を自由に動かすことを可能にした球体関節人形は第2期の制作であり、ポール・エリュアールの詩作とともに戦後『人形の遊び』として刊行された。取りつけられた関節と同様、胴体もまた球体となった無機質的な身体は、崩壊の予兆を内包するかのような異様な存在感を放っている。　　（KJ）

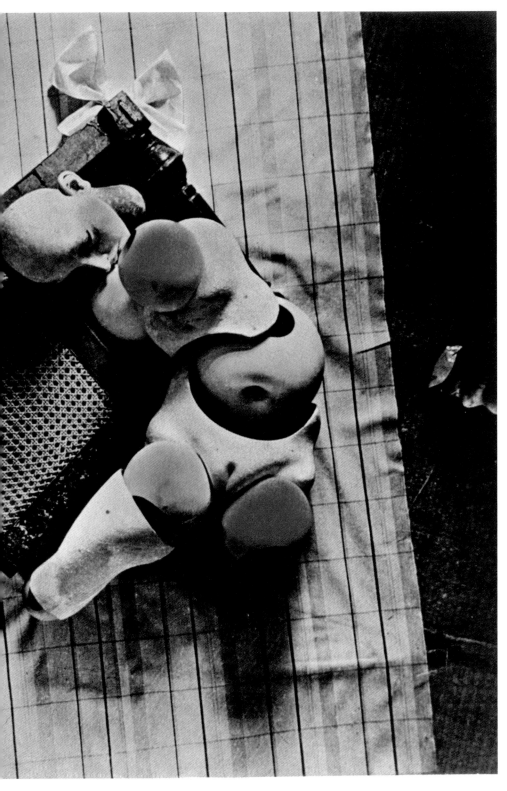

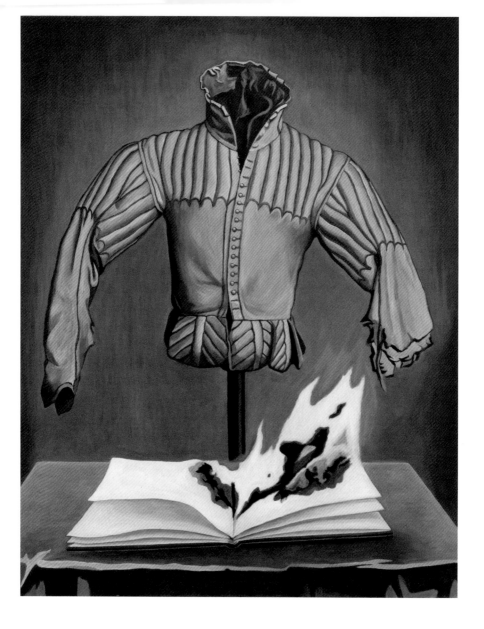

Eboshi YUASA

ユアサエボシ
着衣のトルソーと燃えている本
Clothed Torso and Burning Book
2021年

ユアサエボシ
着衣のトルソーと二匹の魚
Clothed Torso and Two Fish
2021年

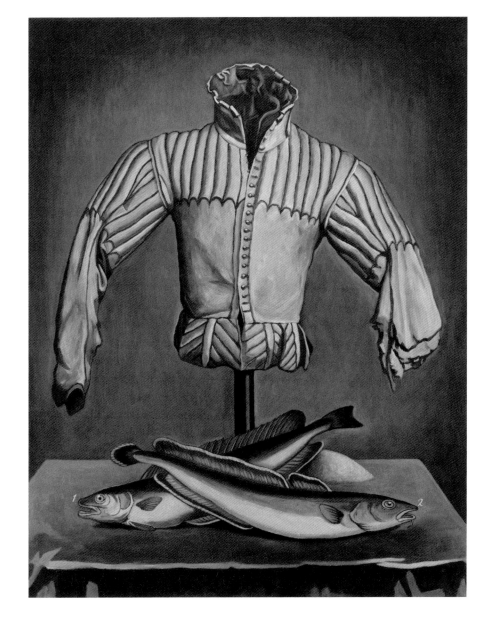

ユアサはシュルレアリスム宣言がなされた1924年生まれの三流画家との触れ込みで架空の略歴を呈示しつつ、脈略のない劇画の1シーンのような絵画を描く。マックス・エルンストのコラージュ作品に刺激され、メディアから集められた図像をそれぞれに模写して1枚の画布の上で統合させる試みはデペイズマンの要素を孕むコラージュ的手法である。モードそのものを中心的モティーフに据えた今作では、瞬時に燃えあがる本、徐々に朽ちてゆく魚、爆裂の予感を湛えながら数十年という単位で静止し続ける弾薬という3つの異なるエレメントが、時間の刹那性と持続性を示唆している。　　　　　(KJ)

ユアサエボシ

着衣のトルソーと八つの砲弾

Clothed Torso and Eight Cannonballs

2021年

架空の三流画家 ユアサヱボシの略歴

1924年(0歳)
千葉県東葛飾郡布佐町に湯浅耕治、カズヱの長男として生まれる。本名湯浅浩幸。
親類に湯浅粂策がいる。

1933年(9歳)
両親に連れられ上野にハーゲンベックサーカスを観に行く。

1938年(14歳)
布佐尋常高等小学校卒業。画家を志す。

1940年(16歳)
挿絵画家の小林秀恒に弟子入りを志願するも病気を理由に断られる。
東京で看板屋の仕事に就く。
『日刊美術通信』に掲載されていた福沢一郎絵画研究所の募集要項を見て入所を決める。
研究所でエルンストの画集『百頭女』を見て衝撃を受ける。エルンストに倣い画集や雑誌の図版を組み合わせた作品を制作する。
またテレビンなどの揮発性油アレルギーが発覚したため、研究所内では鼻口を布で覆った状態で制作に励む。

1941年(17歳)
福沢一郎が治安維持法違反の疑いで逮捕されたため研究所は閉鎖。看板屋の仕事に専念する。

1943年(19歳)
閉鎖となっていた研究所で留守番をしていた山下菊二と出会う。山下が描いていた《日本の敵米国の崩壊》の制作助手を務める。
戦時下の子供たちが愛読した雑誌『少年倶楽部』の挿絵を使ってコラージュ作品を制作する。
(戦時下では画具も配給制になり、末端の作家たちは満足して絵画制作を行うことが出来なかった。ユアサも絵画制作の代わりにコラージュ作品を主に制作していた。)

1944年(20歳)
徴兵検査を受けるが、当時重度のヘルニアだったため戊種判定で不合格となる。

1945年(21歳)
進駐軍相手に瓦に似顔絵を描き日銭を稼ぐ。
(当時の似顔絵師たちはお互いの素性を詮索されぬよう、あだ名で呼びあっていた。ユアサはいつも寝癖が酷く逆立っていて、烏帽子のようであったことから"ヱボシ"と呼ばれるようになる。後にユアサヱボシを作家名とする。)
進駐軍がもたらしたアメリカ文化の影響を受ける。

1947年(23歳)
山下菊二、高山良策らが結成した前衛美術会に参加する。
第1回前衛美術展に出品。以後1950年の第4回まで毎年出品する。
研究所時代の知人である加太こうじに頼み、紙芝居の着色を担当する"ヌリヤ"の仕事をまわしてもらう。

1950年(26歳)
兵庫県西宮市で開催されたアメリカ博覧会へ行き感銘を受ける。将来渡米することを決意する。

1951年(27歳)
政治色が強かった前衛美術会に嫌気がさし脱退する。

1953年(29歳)
第1回ニッポン展に出品する。

1956年(32歳)
ニューヨークに渡米する。レストランで皿洗いの仕事をしながら作品を制作する。雑誌、新聞など作品に使えそうなものを日々買い漁る。
岡田謙三、篠田桃紅らと交流する。
アクリル絵具に出会い以後制作に使用するようになる。

1958年(34歳)
ヘルニア再発のため帰国する。帰国途中に経由地のハワイで小田実と出会う。
アメリカで購入してきた雑誌記事をもとに作品を制作する。
自らの絵画を自嘲の意味も含め"舶来転地様式"と名付ける。
(福沢一郎絵画研究所でのシュルレアリスムの影響、進駐軍がもたらしたアメリカ文化の影響、前衛美術会でのルポルタージュ絵画の影響を受けながら、独自の絵画を展開する。)

1959年(35歳)
山下菊二夫妻の紹介で2歳年下の石嶋康代と知り合い結婚する。

1962年(38歳)
長男晩夫が生まれる。

1964年(40歳)
第8回シェル美術賞に《騎士》を出品して佳作入選する。

1965年(41歳)
京橋の貸画廊で個展を開催する。《魔術師》と共に"黒い紙芝居シリーズ"を展開する。
小田実と再会する。"黒い紙芝居シリーズ"は小田とともに個展に訪れた鶴見俊輔が名付けたもの。
東京オリンピック後の不況から生活苦になりガードマンの仕事を始める。

1979年(55歳)
第5回汎展への出品を最後に、世間から距離を取るようになる。アトリエに引きこもり制作に打ち込む。

1985年(61歳)
アトリエ兼自宅が全焼する。作品や資料を外に運び出そうとした際に重度の火傷を負う。

1987年(63歳)
火傷の後遺症により逝去する。

Chapter

6

裏と表 ― 発想は覆す

Back and Front ― Ideas Flip

　ルネ・マグリットは、室内を占拠する巨大な薔薇や、昼と夜とがひとつの画面上に不可思議に混在するような謎のイメージを描出した。また《マザー・グース（『マグリットの落とし子たち』より）》に見られるように、手前にあるはずのものが背後へと後退する、現実には成立し得ない空間をリアルに呈示してみせた。「美とは可食的なものであろう」と唱えたサルヴァドール・ダリは、茹でた隠元豆やベーコン等を画面上に脈略なく登場させ、観る者の意識を攪乱させた。

　既成概念を覆すこのような発想の転換は、本来あるべき場所から転置され、時として期待されている機能性を敢えて覆すことによって招き寄せられる違和感から、未知の刺激を扇動しようとしたシュルレアリスムの特異な感性を象徴するものであり、ここでもデペイズマンによる効果が試されている。このようなユニークな発想はモード界にも刺激を与え、その精神はヴィヴィアン・ウエストウッドやマルタン・マルジェラ、熊谷登喜夫といった先鋭的なデザイナーたちへと引き継がれていった。

René MAGRITTE

ルネ・マグリット
マザー・グース（『マグリットの落とし子たち』より）
Mother Goose (From "Magritte's Foundlings")
1968年

ベルギーの画家であるマグリットの絵画には、自らが日常的に身につけ携帯していた山高帽
やステッキ、外套といったファッションアイテムが印象的に登場する。木立の中に佇む紳士た
ちの姿は部分的に樹木の幹に隠され、背後にあるはずの風景が彼らの存在の前に立ち現れ
るといったように、前景と後景の位置に逆転が生じ、現実が入れ子細工のように組み合わさ
れて、ひとつのものの裏には別のものが潜んでいることを示唆している。マグリットはまた、内
側と外側、目に見えているものと見えていないものへの認識や、混在し得ない異次元空間の
共存といったテーマに喚起を促し、観るものを視覚的な既成概念から解き放った。 　(KJ)

Marcel DUCHAMP et al.

マルセル・デュシャンほか

『1947年 国際シュルレアリスム展』

Le Surréalisme en 1947
Exposition internationale du Surréalisme

1947年

1947年にパリで開催された国際シュルレアリスム展の限定カ
タログ。展覧会はブルトンとデュシャンによって組織され、24ヵ
国、87人の作品が出品された。カタログにはミロやエルンスト、
マン・レイやアルプ等のオリジナル版画24点が収められてい
る。このカタログをとりわけ異質なものにしているのは、その装
丁である。カタログのカバーにはデュシャンのレディメイドオブ
ジェが貼りつけられており、フォームラバー製の柔らかな乳房
が、黒いベルベットの布に縁取られて突き出ている。さらに、そ
れを収めるケースには「触ってください」と書かれたラベルが貼
られ、デュシャン流のウィットが発揮されている。 (SY)

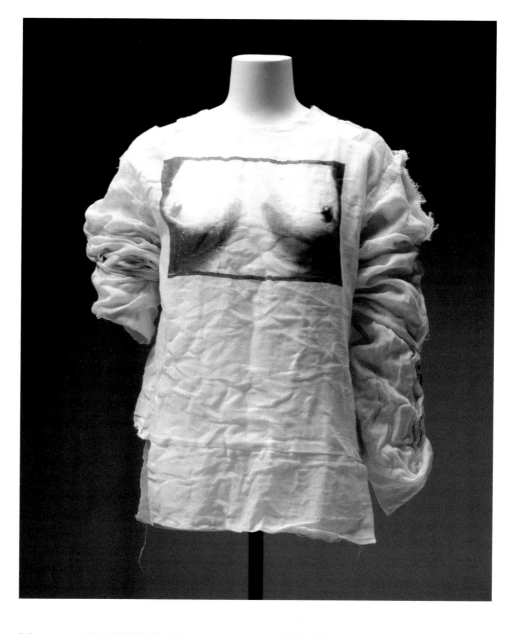

Vivienne WESTWOOD,
Malcolm MCLAREN /
SEDITIONARIES

ヴィヴィアン・ウエストウッド、マルコム・マクラーレン /
セディショナリーズ

シャツ

Shirt

1977 年頃

あたかも裸体が透けて見えているかのような本作は、ヴィヴィアン・ウエストウッドとマルコム・マクラーレンがたびたび制作した「ティッツ（おっぱい）」モティーフのヴァリエーションのひとつ。性を越境し、服と裸体の境界を揺るがす挑発的な表現である。70年代半ばのロンドンでは、閉鎖的な階級社会に反発する若者たちがストリートに集い、カラフルな髪を逆立てたり引き裂いた服に身を包むなどして体制への異議を表明した。ふたりが共同経営するブティック「セディショナリーズ（反乱扇動者たち）」はそんな熱狂的な若者の聖地となり、その過激なファッションは当時のパンク・ムーブメントを力強く牽引した。　　　(NT)

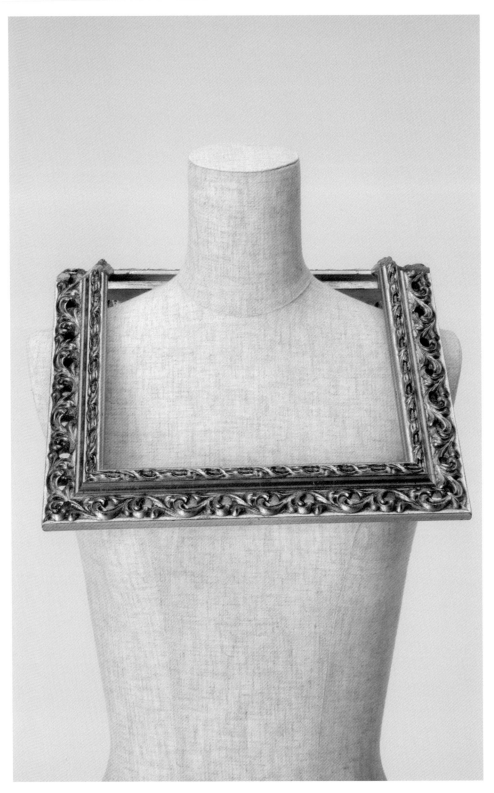

Tokio KUMAGAÏ

p.130　　　　　　p.131
熊谷登喜夫　　　　熊谷登喜夫
パンプス「食べる靴」　**靴「食べる靴」**
Pumps　　　　　　Shoes
1984年頃　　　　　1984年頃

ほどよく脂身が混ざった生肉、今にも溶けそうなアイスクリームやかき氷が足
を覆う。靴のイメージとはかけ離れたこれらのユニークな素材は、日本の樹脂
製食品サンプルの技術を応用したもの。本作はさまざまな食品をモティーフに
した「食べる靴」シリーズのうち2点。リアルでキッチュな表現が、旧来の靴の
イメージを一変させた。ユーモラスなアイデアで80年代の靴のデザインを牽引
した熊谷登喜夫の代表作である。　　　　　　　　　　　　　　　　（NT）

Martin MARGIELA

p.132
マルタン・マルジェラ
ジャケット（1997年春夏）
Jacket
1997年

マネキン・メーカー、ストックマンの人台（トルソ）をかたどったジャケット。袖口
は切りっぱなし、前あきは鍵フックで留めるよう仕立てられている。人はそれぞ
れ全く違う体つきであるにもかかわらず、規格化されたサイズの既製服に身を
委ねる現代人を揶揄するかのような作品である。90年代、マルジェラは既存の
ファッション・システムにおもねることなく、古着を再構築したり、新しい服を
古着のように加工するなど独自の価値観でファッションを表現した。その新た
な価値体系は2000年以降のファッションに大きな影響を与えている。（NT）

Vivienne WESTWOOD

p.133
ヴィヴィアン・ウエストウッド
ミュール（2000年春夏）
Mule
2000年

靴を履いても裸足──。つま先は足指の形に成型され、ベージュの柔らかい皮革は肌の質感を想起させる。現実と非現実が交錯するような幻惑的な作品である。「パンクの女王」と呼ばれたヴィヴィアン・ウエストウッドは83年に自らの名でブランドを立ち上げ、パリ・コレクションで発表を始めた。90年代には、かつてのコルセットやクリノリンといった歴史的な下着を表着化させるなど、フェティシズムともいえる挑発的なファッションで人気を博した。　　　（NT）

Martin MARGIELA

p.134
マルタン・マルジェラ
ネックレス（2006年秋冬）
Necklace
2006年

p.135
マルタン・マルジェラ
ネックレス（2006年秋冬）
Necklace
2006年

本作は木製の額縁を金メッキで塗装し、蝶番をつけてネックレスにしたもの。ほかにもマルジェラは本コレクションで鋲つきの布をネックレスにするなど、アクセサリー類を「アブストラクト・ジュエリー（観念的な宝飾品）」と題して発表した。これらの多くは、通常アクセサリーの素材に用いない意外性のある材料に置き換えて制作された。このブリコラージュ的手法は、モノの「再生」や「価値転換」を服づくりに取り込むマルジェラらしいアプローチといえよう。　（NT）

Dolce & Gabbana

ドルチェ&ガッバーナ	ドルチェ&ガッバーナ
ネックレス	**ネックレス**
Necklace	Necklace
2005 年秋以降 - 2006 年	2005 年秋以降 - 2006 年

イタリアを代表するファッションブランド、ドルチェ＆ガッバーナの2005年秋〜2006年頃の作品と思われる。2005年に発行されたアメリカのビジネス雑誌『ザ・ニューヨーカー』では10年毎の代表的なブランドとして、1980年代をアルマーニ、2000年代をドルチェ＆ガッバーナになるのではないかと発表していた。

　首にぴったりと沿う土台は厚さ0.3cmのプラスチック板をカットし、丁寧に立体的に曲げて形づくられ、後ろにDとGの形をした留め金が付いている。それぞれ41ヵ所、パーツの金具が付いており、鍵はアンティークと思われるものから量産型、王冠はオリジナルの型を金銀2色使い、ブランド名をプリントしたビニール紙を貼りつけている。

(RK)

Chapter

7

和の奇想—帯留と花魁の装い

The Fantastic in Japanese Clothing
—Obi Clips and Courtesan's Turnouts

　彫刻的意匠が凝らされた帯留は、和装の中でも特にアクセサリーとしての装飾性を湛えるものである。着物という主題を引き立てるものでありながら、この小宇宙が奏でるテーマは、例えば極小の昆虫や豆粒から、富士を頂く雄大な風景に至るまで、想像の限りを尽くしたダイナミズムを有している。

　また花魁の装いはその華やかさと奇抜さにおいて群を抜くものであった。彼女たちは長い髪を結い上げて、天を劈くような幾本もの簪を威光のようにしてこれに刺した。また上背を高く見せて華やかさを演出した高下駄は、花魁たちが遊郭を練り歩く「花魁道中」等で身につけられ、外側に弧を描くような独特の歩き方によってさらにその奇抜さが演出された。次章で紹介する現代作家 舘鼻則孝はこの花魁の装いに着眼し、これを現代において再解釈しつつ制作に生かしている。本展に出展されている錦絵の一部は、舘鼻自身のコレクションによるものである。

帯留「蝙蝠」
Sash clip, "Bat"
大正期–昭和初期

帯留「百足」
Sash clip, "Centipede"
昭和期

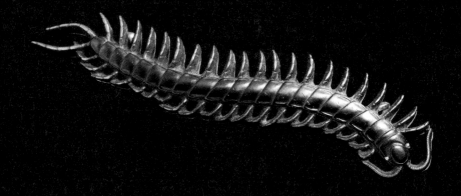

彫金によって制作された帯留は、生き物のようにリアルにつくられている。吉
祥性の高い生き物とされている蝙蝠は、中国においてはその名の漢字である
「蝠」が「福」と同音であることから、日本以上に珍重されているという。また
百足をモティーフとした帯留は、商家の女将が大晦日に使用した。足があるか
のように人々の間を往来することから、「御足」とよんでお金に譬えられ、一年
間ツケにしていた代金が入ってくるように、との願いが込められている。その
ぞっとするような姿かたちから、日常生活では忌み嫌われがちな生物さえも縁
起担ぎとして装いの中に取り込もうとするウィットに富んだ人々の営みのなか
に、装いに対する〈粋〉の文化への精神を垣間見ることができる。　　　(KJ)

UTAGAWA Toyokuni IV / SHOSAI Ikkei

四代歌川豊国／昇斎一景

江戸町壱丁目 佐野槌金子合併
五階造より隅田川遠覧の図

吉原で話題を集めていた高楼から、花魁と呼ばれる高位の遊女たちが周囲を眺めて楽し
んでいる姿を描く。名札が書かれた7人とともに、花魁を助ける振袖新造や独特な髪型
の幼い禿もいる。背景の赤色が、いかにも明治の錦絵らしい。実際にこのようなかたちで
勢揃いしたとは思えないが、庶民は中空に立つ麗しい姿を想像して楽しんだことだろう。
　この絵はふたりの絵師の共作で、美人画は江戸後期の浮世絵界をリードした歌川
派の四代豊国、そして左に広がる風景を描いたのは明治期に活躍した一景だ。描かれ
ている場所は江戸名所として名高い隅田川界隈で、手前に浅草寺の五重塔が描かれ、
吾妻橋を渡った上流には有名な桜も見える。美人画と名所絵が両方楽しめる趣向と
なっている。

UTAGAWA
Toyokuni II

二代歌川豊国

玉弥内 清川

Kiyokawa of the Tamaya

文政8−天保5年（1825-34）頃

玉弥の遊女、清川を描く。遊女の見世と名前を描いた錦絵は数多く、遊女のブロマイドのようなものである。ここでは清川が、高い黒漆の下駄をはいて見世先でちょっとポーズを取って振り返っている。花魁らしく着物の上に仕掛（打掛）を着た重厚な姿だが、遊女は足袋をはかないので足元は素足である。また櫛を2枚挿すなど遊女ならではの豪華な髪型が目を引くが、短い前髪をちょっと垂らしているのがお洒落のポイントだ。

　左端に王屋（弥）の大きな提灯が置かれており、また画面の上部には墨による一文字ぼかしが施されているので、これは夜の光景と思われる。提灯の光に浮かび上がる花魁の華やかな姿を想像してほしい。作者は、歌川派の基礎を築いた初代豊国の養子。

（NW）

TOYOHARA
Kunichika

豊原国周

見立昼夜廿四時之内 午后十時

Courtesan at 10 p.m.
–Scenes of the Twenty-four Hours

明治24年（1891）

国周は、主に役者絵で名を知られた明治期の浮世絵師だが、美人画にも腕を振るった。描かれるのは、赤い下着姿でしどけなく布団に寝転んで手紙を読む遊女である。遊女にとって客との文のやり取りは、つながりを深めるための大事な手段のひとつであった。切ない思いを伝えるものもあったかもしれないが、この絵師ならではの妖艶な表情やなまめかしい手指の表現からは、遊女の手練手管に長けた一面も感じ取れる。

この作品は、遊里の1日を時とともに表す美人画シリーズの1枚。このような設定の揃い物は江戸時代からの伝統で、全体としても江戸時代の美人画風を残すが、「午后十時」という定時法の言葉に明治期の錦絵らしい文明開化の空気が感じられる。

KEISAI Eisen

渓斎英泉
今様美女競 娼妓
The Modern Beauty Competition:
Courtesan
文政8年（1825）頃

渓斎英泉
浮世絵風俗美女競 一双玉手千人枕
A Beauty Competition in the Ukiyo-e Manner: A Courtesan's Life
文政6-7年（1823-24）頃

猫背気味でずんぐりとした濃厚な美人画で知られる幕末の浮世絵師、英泉の最もよく知られた美人画シリーズの1枚。高級な遊女ならではの髪型で、頭に扇を開くように挿した大小16本もの簪、そして大きな2枚の櫛や太い笄の存在感が見る者を圧倒する。右上の三升の枠の中の漢詩は、玉のように美しい両手（腕）は千人もの枕になるといった意味あいで、遊女に相応しい艶っぽいものだ。

　しかしながら、口元からは鉄漿をつけた黒い歯がのぞき、下唇には濃く塗り重ねた紅が緑色に怪しく光る。太い煙管を手に細く吊り上がった目でちらりと見やるその姿には、英泉の画風とあいまって遊女の迫力やしたたかさのようなものがうかがえる。絵と文字でつくり出された世界観がみごとだ。
（NW）

KITAGAWA Shikimaro

溪斎英泉

契情道中双録

玉屋内 花紫

Hanamurasaki of the Tamaya, from
the series A Tōkaidō Board Game of
Courtesans: Fifty-three Pairings in the
Yoshiwara

文政8年 (1825) 頃

喜多川式麿

今容女歌仙 三拾六番続 赤蔦内 蔦葛 やまし かつの

Female Poetic Immortals: Tsuta-Katsura of the Akatsuta

文化10年 (1813) 頃

作者の式麿は、美人画で有名な喜多川歌麿の弟子となる月麿の弟子。
この作品は、その代表作とされるシリーズものの1枚だ。題名に「歌仙」
「三拾六番続」とあるように、三十六歌仙に見立てて36人の遊女を描く
という趣向で、右上の和歌はそれぞれの遊女の自筆とされる。江戸時
代の高級な遊女には、和歌や書をたしなむ教養も求められた。

　描かれた遊女の蝶が羽を広げたような髷は、横兵庫と呼ばれる文
化・文政期の遊女に多いものだ。髷にも高位の遊女らしく鼈甲の簪、
笄、櫛をたくさん挿しているが、鼈甲にすべて同じように斑が入っている
のがリアルだ。また黒っぽい格子模様となっている着物の裾部分 (袘)
が厚くなっているのも、この時期の装いの特徴である。　　　　(NW)

UTAGAWA Kunisada

歌川国貞

江戸新吉原八朔白無垢の図

Shin-Yoshiwara Courtesans Wearing
White on the First Day of the Eighth
Month

文化-天保（1804-45）頃

八朔（はっさく）とは8月1日のことで、天正18年（1590）のその日、徳川家康が江戸に入ったことを祝し、この日は大名らが白い装いで登城した。それにちなみ、吉原でも遊女が白や薄い色の着物を着た。中央と右側に描かれたのが花魁、左側は花魁を助ける役割の遊女の留袖新造（とめそでしんぞう）であろう。左右対称に吉原の入り口の大門（おおもん）を黒々と描き、大胆な斜線を用いた遠近法で吉原の中を描く。構図的にも色彩的にも明快な光景を背に、遊女たちの常と異なる淡い色の着物が軽やかで印象的だ。

　なお、吉原は江戸初期に現在地へ移動したもので、前の場所と区別するためにそれぞれ元吉原、新吉原と呼ばれることがある。作者は広重や国芳とともに中期歌川派を代表する絵師で、五渡亭（ごとてい）は号のひとつ。 (NW)

UTAGAWA Yoshitora

歌川芳虎

新吉原江戸町壱丁目五盛楼五階之図

5th Floor of the Seirokaku, Edo-cho 1-5,
Shin-Yoshiwara

明治4年（1871）

塔の部分が、地上から実質5階に相当するということで話題を呼び、さらに洋風の建物でも注目を集めた五勢楼。この作品の見どころは、正面中央に話題の塔を見せつつ見世の内部の様子も描いている点だ。また三枚続の画面が、廊下のアーチ状のデザインと一体化して、1枚ずつ額縁に入った絵のように見える工夫がおもしろい。

　その一方、ここに描かれる遊女たちは江戸時代の姿のままだ。仕掛の模様も右から孔雀、鷹、千鳥と鳥が描かれており、見世の雰囲気とは異なり伝統的な日本の図柄で揃えている。ちなみに彼女たちがいるのは外ではなく建物の中の廊下だが、慣習にしたがって素足に底の厚い草履（ぞうり）をはいている。作者は幕末から明治初期に人気を集め、開化錦絵に腕を振るった絵師。　　　　　　　（NW）

TOYOHARA Kunichika

豊原国周
玉揃美人之図
Gloriously Dressed Beauties, Meiji Period
明治3年（1870）

場所は、桜の前に柵があるので吉原の仲の町と思われる。新造らを従えた花魁が、1枚にひとりずつ描かれた五枚続の錦絵。花魁の帯は前で結んで、その姿の美しさや華やかさを際立たせる。また仕掛の模様も鯉や鶴などは、それらの柄を立体的に仕上げているようで手が込んでいる。明治になると化学染料の種類も増え、この作品のように伝統的な錦絵にも紫や赤などに強烈な色味が目立ってくる。江戸時代のものとは一味異なる、明るく派手な絵姿である。

この作品のように五枚続、あるいは三枚続の美人画は、どれか1枚だけ買っても満足のいくように構図や配置が工夫されているものが多い。お財布にやさしい、庶民派の錦絵ならではの工夫である。

(NW)

ハイブリッドとモード
―インスピレーションの奇想
The Hybrid and the Mode
― The Bizarre as Inspiration

　最終章となる本章では〈ハイブリッド〉をキーワードに、モードのなかに垣間見られる〈奇想〉の表現を考察する。

　舘鼻則孝は、東京藝術大学の卒業制作で花魁の高下駄からインスピレーションを得た《ヒールレスシューズ》を発表し、レディー・ガガが即座にこれに注目して身につけたことから話題を集めた。また永澤陽一はシマウマや馬の脚部のようなジョッパーズパンツを、串野真也は動物の皮革、昆虫や鳥の羽根をモティーフとした靴を制作した。それらはまるで、モードの一部となった生命体の形骸を身につけた人間がハイブリッドと化してゆくような想像を喚起させるものである。さらにANOTHER FARMは、蚕の遺伝子組み換えによって発光体となった絹の糸を用いた西陣織のドレスが浮遊する、神秘的なインスタレーションを手がけている。表現の歴史や伝統文化への理解と現代における再解釈、異なる遺伝子をもつ生命体同士の邂逅と融合――それは、デペイズマンを標榜したシュルレアリスムの発想力にも通底する、革新的世界への希求にほかならないだろう。

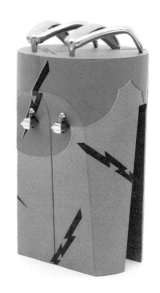

Noritaka TATEHANA

舘鼻則孝
フローティングワールド
Floating World Series
2019年

舘鼻則孝
フローティングワールド
Floating World Series
2021年

舘鼻則孝
フローティングワールド
Floating World Series
2019年

新宿・歌舞伎町で銭湯「歌舞伎湯」を営む家系に生まれ、シュタイナー教育に基づく人形作家である母の影響を受けたという舘鼻の活動には、日本の伝統文化に対する高い関心と、革新的創造に対する指向性が共存している。「江戸のアヴァンギャルド」と舘鼻が呼ぶ花魁から着想した作品として、現代における高下駄や煙管をイメージした作品群や巨大な簪の彫刻作品があり、2021年には伝統産業を新たな視点から再定義して発信したデジタル展覧会「江戸東京リシンク展」のディレクターも務めている。（KJ）

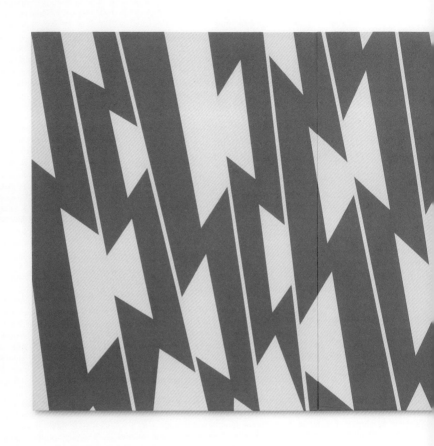

舘鼻則孝
ディセンディングペインティング
Descending Painting Series
2021年

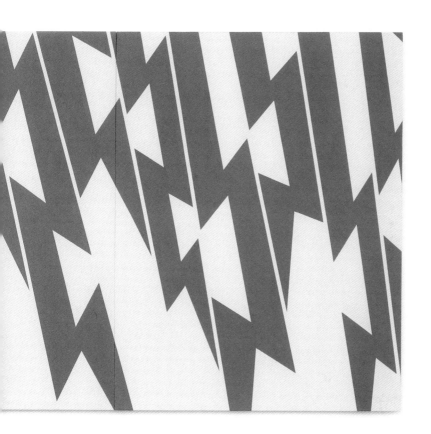

舘鼻則孝
ヘアピンシリーズ
Hairpin Series
2018年

舘鼻則孝

太郎へのオマージュ：
ヒールレスシューズ／太陽の靴 #2

Homage to Taro Series:
Heel-less Shoes / Sun #2

2016年

舘鼻則孝

**太郎へのオマージュ：
ヘアピン／太陽**

Homage to Taro Series:
Hairpin / Sun

2016年

舘鼻則孝

**太郎へのオマージュ：
呪力の美学 #1**

Homage to Taro Series:
Aesthetics of Magic #1

2016年

舘鼻則孝
太郎へのオマージュ：
呪力の美学 #2

Homage to Taro Series:
Aesthetics of Magic #2

2016年

舘鼻則孝
ベビーヒールレスシューズ

Baby Heel-less Shoes
2021年

花魁の高下駄からインスピレーションを得て制作された《ヒールレスシューズ》
は、地面よりも遥かに高い位置に生身の肉体である踵(ヒール)が置かれていな
がら靴そのものにはヒールがないという革命的逆説を抱え、シュルレアリスムの
デペイズマンの思想を内包しているとも言い得るだろう。このアンヴィヴァレント
なアプローチによって生み出された靴は、敢えて欠損させることで生じる不可思
議なバランス感覚によって生み出された、奇想の形態を呈示させている。2010
年、東京藝術大学美術学部で絵画と彫刻、染色を学んだ舘鼻が卒業制作とし
て手がけた初のヒールレスシューズ(p.172)はレディー・ガガの眼に留まり、本シ
リーズ作品は彼女のアイコンともなって世界的な注目を集めた。　　　　(KJ)

舘鼻則孝
ヒールレスシューズ
Heel-less Shoes
2010年

舘鼻則孝
ヒールレスシューズ／レディーポワント
Heel-less Shoes / Lady Pointe
2014年

舘鼻則孝
ヒールレスシューズ／アリスの青い靴
Heel-less Shoes / Alice Blue Shoes
2018年

p.174-175 左から順に

舘鼻則孝
ヒールレスシューズ
Heel-less Shoes
2021年

舘鼻則孝
ヒールレスシューズ
Heel-less Shoes
2021年

舘鼻則孝
ヒールレスシューズ
Heel-less Shoes
2021年

舘鼻則孝
ヒールレスシューズ
Heel-less Shoes
2021年

舘鼻則孝
ベビーヒールレスシューズ
Baby Heel-less Shoes
2021年

舘鼻則孝
ベビーヒールレスシューズ
Baby Heel-less Shoes
2021年

舘鼻則孝
ベビーヒールレスシューズ
Baby Heel-less Shoes
2021年

p.186-187 左から順に

串野真也
Bird-witched
2014年

串野真也
Bird-witched
2014年

串野真也
Bird-witched
2014年

自然に恵まれた広島県因島で生まれ育った串野にとって、幼い頃から慣れ親しんだ動物や昆虫などの自然物は身近なモティーフであった。宇宙の摂理のなかで帰結するそれぞれの生命体の、そうならざるを得ない最終形あるいは最新形としてのフォルムを「ファイナルデザイン」と呼び創造の糧とする。異なる遺伝子をもつ動物たちの皮革をひとつの靴の上で出逢わせ、それを人間が履くことでハイブリッドが産み出されることを想起したキメラを主題とした作品は、レディー・ガガがアルバム『Artpop』で身につけ人気を博した。作家はまた実際の動物の素材を用いることへの逡巡を抱え、タンパク質の配列構造から新たな細胞を生成させることによって、架空の動物素材による衣服を身に纏うことを希求するプロジェクトにも取り組んでいる。 (KJ)

串野真也
Chimera short boots BL
2009年

串野真也
Chimera Long boots WT
2009年

串野真也
LUNG-TSHUP-TA
2009 年

串野真也
Queen of the dark
2011 年

串野真也
Stairway to heaven
2013 年

串野真也
Guardian deity Bird
2017 年

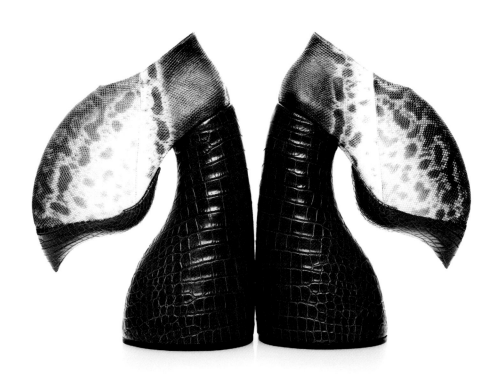

串野真也

Guardian deity Crocodile

2017 年

串野真也

Sphinx of the forest

2017 年

Yoichi NAGASAWA

永澤陽一
ジョッパーズパンツ
《恐れと狂気》
Jodhpurs pants, *Fear and Madness*
2008 年

永澤陽一
ジョッパーズパンツ
《恐れと狂気》
Jodhpurs pants, *Fear and Madness*
2008 年

永澤陽一
ジョッパーズパンツ
《恐れと狂気》
Jodhpurs pants, *Fear and Madness*
2008 年

永澤がポニーの革のジョッパーズパンツを初めて製作したのは1999年、パンツの登場が女性ファッションを解放したという事実を検証した、パリで開催された「パンタロン展」のときだった。原寸大のポニーのサイズでオリジナルパターンをおこし、本物の馬の毛皮、しっぽ、さらに蹄鉄を打った蹄つきという完璧な処理で、乗馬用パンツに見立てた作品。人と馬の骨格の違いから着装はほとんど不可能。2008年、永澤の個展「恐れと狂気」（京都）のため、黒色と茶色、シマウマの新作3点が製作された。

　デビュー当時、日本の多くの生地関係者から取引を断られた。生まれもった反骨心と遊び心から人工芝、ゴム紐、人工人毛、漁業網など布地でない素材を用いたショッキングな衣服を製作。本作は永澤のセンスが凝縮された記念碑的な作品。　　　　　　　　　　（KH）

Zaha HADID / UNITED NUDE

ザハ・ハディド／ユナイテッド・ヌード
靴「NOVA Shoe」

Shoes "NOVA Shoe"
2013年

メタリックで硬質な物体——。まるで未来都市の建築モデルのような造形は、一見しただけでは靴とはわからない。本作のデザインは「曲線の女王」と異名をとった建築家、ザハ・ハディドによるもの。制作当時、最新のコンピューターグラフィックスによる3Dで設計され、既存の製作法と靴のイメージを根底から覆した。ユナイテッド・ヌードは、建築界の巨匠レム・コールハースの甥であり自らも建築家であるレム・D・コールハースが2001年にロンドンで立ち上げたブランド。先端のテクノロジーを駆使し、これまでにもさまざまなアーティストとコラボレーションしている。　　　　（NT）

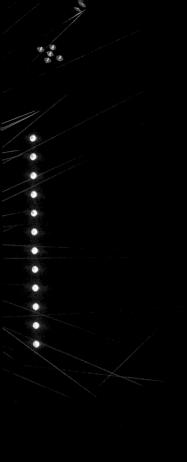

ANOTHER FARM

Modified Paradice
2018年

ANOTHER FARMは串野真也と尾崎ヒロミ（スプツニ子！）によって結成されたアートユニット。「テクノロジーの進歩と生命、人間の関わり」をテーマに制作された本作では、クラゲや珊瑚の遺伝子を組み込むことによって発行体となった蚕から生み出されたシルクが、伝統技術である西陣織によってドレスに仕立てられている。2.5mのフレームの中に納められ、中身が空洞となったまま夥しい数の絹糸によって吊り下げられた優美な衣服は、ブラックライトの闇の中で神秘的な光を放つ。「変更されたパラダイス」と直訳できる本作は、閉じられた楽園のなかで、倫理観という命題を抱えつつも遺伝子組換えを通して前進を続ける科学技術の行く末を、厳かに見通しているかのようである。　　（KJ）

MODE
SURREAL
A Crazy Love for Wearing

奇想のモード
装うことへの狂気、またはシュルレアリスム

神保京子

東京都庭園美術館 学芸員

文明社会において、人は公の場で裸体のまま社会生活を営むことはできない。装いに対するこの永遠の命題は、人間と地球上の他のあらゆる生き物とを分かつ究極の要素である。人々は服飾品を身につけることで、時代の変遷とともにそこに様々な趣向を凝らし、自らの願望や主張を織り混ぜながら社会と折り合いをつけ、アイデンティティ獲得のためのひとつの重要なよすがとした。

1924年、アンドレ・ブルトンによってパリでその開幕が宣言されたシュルレアリスムは、20世紀最大の芸術運動であるといわれている。無意識下の状態を希求することで精神の解放を目指し、技巧に拘泥することなく、世界を新たな意識で発見し捉え直そうとする思想は、場所や時代を超越した波及力を示し、その影響は世界的な広がりをみせた。それは第一次世界大戦終結後の硬直した時代背景のなかで、まさに革命の精神によって支えられていたものであった。

社会的慣習のなかで才能ある創造者たちによって生み出されるモードの世界は、伝統と革新とが必然的バランスを保ちながら、時代の流行を生み出し伝えつつ、さらに新たな時代の雰囲気を反映させながら変貌を遂げてきた。そしてそのような顕れのなかに、時としてシュルレアリストの感性と共鳴し合うような、突出した意匠を垣間見ることができる。また一方で、シュルレアリスム運動自体のなかに、モードを契機として表出された思想や表現を認めることができるのである。

装うことへの、時に狂気にも似た執着が〈奇想〉のかたちを生み出し、私たちを驚嘆させる。本書では〈奇想〉をテーマに、革新的な精神によって展開されたモードの軌跡と、シュルレアリスムにおけるモード的要素を見つめ直そうとするものである。

1. シュルレアリスム前史

人類の美に対する欲望は時に突出した形態を生み出し、身体の先端は様々な意匠が施され着飾られることによって、そのシルエットは大幅に改変され延長された。例えばヨーロッパの中世において、頭上にはエナンと呼ばれる尖塔のように高く細長い帽子が冠された。また16世紀、イタリアの貴族や高級娼婦の間では、日本における花魁の高下駄のように底の高い靴が着用された。コルセットはボディラインの補正下着とし

て、少しでも細いウエストとなるように人体をきつく締め上げた。クリノリンやパニエは、逆にスカートにボリュームをもたせようとするもので、コルセットと組み合わせることで理想のボディラインを造り出した。

　また18世紀のロココ時代後期、絢爛豪華なドレスに合わせ、髪は豊かに結い上げられ高く盛られて、大きなリボンやジュエリーなどで飾り立てられた。過剰はさらなる過剰を生み出し、髪の高さはさらなる高さを求めた。当時の風刺画には梯子に上って髪を結おうとする髪結師が描かれ、結い上げられた髪の高さを含めると、顔の位置は床から髪の頂上までの半分程度の高さ……といったパロディのようなイラストが、髪への法外な固執を風刺した。この頃刊行され、モード誌の先駆的役割を果たしたとされる『ギャルリー・デ・モード』(1778-87年)には、高く結い上げた女性の頭上に船の形をした装飾をあしらったプレートが描かれている。本書は、当時の絢爛豪華で華やかさに満ちたモードの極致を披瀝させた。

2. モードの奇想

〈奇想〉とは辞書によれば、「普通では思いつかない考え、奇抜な考え」[1]とある。また辻惟雄氏による著作『奇想の系譜』には次のような記述がある。

> 「江戸時代における表現主義的傾向の画家——奇矯(エキセントリック)で幻想的(ファンタスティック)なイメージの表出を特色とする画家——の系譜」[2]
> 「〈奇想〉という言葉は、エキセントリックの度合いの多少にかかわらず、因襲の殻を打ち破る、自由で斬新な発想のすべてを包括できるわけであり、……」[3]

エキセントリックとは「性格などが普通と著しく変わっているさま。突飛なさま。風変り。奇矯。」[4]とある。

　この〈奇想〉という言葉に託された純粋な言葉の響きは、本展を貫く表現の特質と密かに共鳴するように感じられた。エキセントリックの相貌を纏う〈奇想〉へのイメージは、今回の企画にあたって展覧会を貫く重要なキーワードとして浮上してきたものである。シュルレアリスムとはいわば「普通」ではあきたらなかった表現者たちが「過去の因襲の殻を破」り、「自由で斬新な発想」を閃かせた数々の事象の集積であった。

　現実を全身全霊で引き受けることの術に対する回答を探そうとした革命的運動であったシュルレアリスムは、少なくとも、現実世界から離れ、幻のような空想を披瀝させる幻想(ファンタジー)の領域には存在していない。むしろシュルレアリストらにとっては、目前に立ち現れる現実世界こそが興味の対象であった。世界規模の殺戮が展開さ

れた両大戦間の緊迫した時代背景のなかで、彼らにとっては如何に現実と対峙し生き延びようとするかが第一義的命題であり、ファンタジー（幻想）の対極へ向かおうとした潮流であったのだと言い得るかもしれない。そして常に、自らの身体と関わる最も近しい現実の場所に、モードは存在していたのである。

　シュルレアリスムから発せられるイマージュの数々は、「美とは痙攣的であろう。さもなくば存在しないだろう」というアンドレ・ブルトンの言葉に象徴されていたように、何かが始まるという予感を抱えた胎動期に、次のアクションへと移行する前夜の、その場に留まりながら放出の予感を漲らせ、充満したエネルギーが、放出の行き場にあぐねて痙攣を起こすような力のダイナミズムを湛えるものであった。我々がここに驚愕の思いで見つめることになるモードの世界にもまた、「痙攣する美」が見い出されることだろう。

　「人生の主要な問題の解決に努める」と唱ったシュルレアリスム運動の理念が、シュルレアリスムの実践的な側面を言い表していたとしても、一般的な生活や人生と直接関われる程近い位置にあったかといえば、それは展覧会や機関紙を通じて発信される、ある程度限定された興味の枠内に存在していたことになるだろう。シュルレアリスムがモードと関わり、この多面的な芸術運動からインスピレーションを得たデザイナーが活躍することにより芸術の枠を超えた広がりをみせたことは、この芸術運動の汎用性と特殊性を物語っている。シュルレアリスムが20世紀最大の芸術運動として人々の意識に浸透していった背景には、強力な立役者としてのモードが存在していたのだといえるのではないだろうか。

　例えば服飾そのものの現れぱかりではなく、ショーウィンドウのディスプレイやモード雑誌の表紙から放たれる、シュルレアリスムの意外性に満ちた視覚情報は、特段芸術運動に高い関心のない市井の人々の生活にも容易く浸透する接点となり得た。実用性を伴うファッションに導入されたシュルレアリスムの痕跡は、さらにメディアの力を得て、消費者たちの深層意識へと働きかける契機となっていただろう。

3. スキャパレッリ

　　私の目の前に色がぱっと浮かんだ。明るくて、あり得ない色。魅力的で、活気づけ
　　られる、世界中の光と鳥と魚を一緒にしたような色。中国とペルーの色であって、
　　西洋の色ではない――強烈な色、薄めていない単一の色。それゆえ、私は香水を
　　〈ショッキング〉という名にした。[5]

エルザ・スキャパレッリはシュルレアリスムから最も近い場所で活躍したファッション・デザイナーである。1936年、ジャン・クレマンによってピンクとマゼンタを融合させた

クールかつ鮮明なピンク色が調合され、スキャパレッリはこの色に魅了されて「ショッキングピンク」と名づけた。レオノール・フィニがボトルをデザインした香水にも〈ショッキング〉と名づけ、そのボトルケースは元より、アクセサリーやガウンも同色の色にして売り出した。当初関係者の間では派手過ぎると懸念の声もあったというが、その効果は絶大で記録的な販売実績を叩き出し、ショッキングピンクは彼女を象徴する色となった。

　ショッキングとは、スキャパレッリの挑戦的な戦略意図を表明した言葉でもあったが、その精神はデザインの至る場所で発揮されている。1927年のデビューを飾ったのは、リボンやネクタイの絵柄を編み込んだ「トロンプ・ルイユ（だまし絵）」風のセーターだった。今でこそ珍しくないデザインだが当時としては画期的であり、瞬く間に注目を集めた。「トロンプ・ルイユ」はシュルレアリスムにおいてはダリやマグリットらが好んで用いた手法だったが、彼女のデザインには初期の頃から、シュルレアリスムに通ずる感性が存在していたことになる。トロンプ・ルイユのアプローチによる最もシュルレアリスム的な衣装は、ダリによって生地にいくつもの引き裂かれて垂れ下がった皮膚のようなイメージが描かれたイヴニング・ドレスだろう。附属のケープにも同じような意匠が施されているが、こちらは裂け目の部分が2層になっており、物体としてのリアルな立体感が演出されている。モードのタブーである生地の「破れ」をテーマに敢えて衣服の欠陥的要素を全面に押し出すことで、正統派のシルエットを描くエレガントなドレスは、その対極としてのタブー（＝生地の破れ）を内包させて観る者を刺激し、デペイズマンの要素を湛えたモードを呈示させた。ダリもスキャパレッリも、恐らく目指すところは「らしさ」からの脱却だった。

> 頭につけるものはすべて、何かを象徴するシュルレアリスムの表現だ。最初から、彼女は私にとって誰よりも大きな存在だった……。スキャパレリは過激で突飛なことをやってのける。彼女は心踊らせる服をつくり、つねに独創性に富んでいた。
> ──スティーヴン・ジョーンズ[6]

装飾性の観点からすれば、頭上に留まるものすべてが帽子やヘッドアクセサリーの素材となる。身につけることを可能にするためにパターンに一定の制約が課せられる服や靴とは異なり、頭上はデザイナーたちにとっていわば「無法地帯」であった。19世紀後半から20世紀前半にかけて、帽子に鳥の剥製をつけるスタイルが流行したが、スキャパレッリもまた雌鶏を頭上に冠したデザインを発表し、さらにダリとのコラボレーションで、靴を頭上に配した帽子、《シューハット》を生み出した。

> 私が感じているのは、服は建築物のようでなければならないということだ。体のことはけっして忘れてはならず、建築物の骨組みのように使われなければならない。

ラインや細部のとっぴなアイデア、非対称の効果などはすべて、この骨組みと密接に関係している。体が尊重されればされるほど、洋服は活力を得る。[7]

スキャパレッリが「服は建築物のようでなければならない」と発言していることは興味深い。ヨーロッパの服飾史では、建築と衣服の相似図的相関関係をみることができる。例えば中世の帽子エナンには、ゴシック建築による教会の尖塔との類似性が、またクリノリンでスカートを膨らませウエストをコルセットで引き締めることで生み出されるS字形のシルエットには、アールヌーヴォー期の建築の造形との類似性が指摘されている。建築家ザハ・ハディドによる靴《「NOVA Shoe」》(p.204-205)はその意味で、建築と衣服の相関関係をよく物語るものである。

4. 裁縫とシュルレアリスム

裁縫にまつわるイマージュもまた、シュルレアリスムの表現においてたびたび登場するものであった。マックス・エルンストによる作品《『流行は栄えよ、芸術は滅びるとも』(1)》(fig.1)には、仮縫いの衣服を着せつけられたマネキンが描かれている。マネキンの前には採寸をしようとメジャーを手にした無顔の人物（デ・キリコの作風を彷彿とさせ、描かれた人物もまたマネキンのように見える）が、作業にいそしんでいる。ラテン語の諺「芸術は栄えよ、流行は滅びるとも」をもじったタイトルにより、「芸術」に優先して流行（＝モード）が反語的に照らし出されてくる。
　マン・レイによる代表作《贈り物》(p.87)、《解剖台の上のミシンと蝙蝠傘の偶然の出会いのように美しい》(p.86)、《イシドール・デュカスの謎》(p.83)は、いずれもシュルレアリスムにおけるデペイズマンの思想を指し示しているが、ともにアイロンやミシンといった裁縫道具がモティーフの中核に据えられている。さらにジョセフ・コーネルによるコラージュ作品(p.85)では、衣服を着たまま横たわる女性のドレスがミシンで縫いつけられようとしている。コーネルは30年代、ニューヨークのテキスタイル・スタジオでデザイナーとして勤めており、ミシンは衣服をつくり出すだけではなく、それを纏う女性自身をもつくり出すことが暗示されている。
　『ハーパース・バザー』誌に掲載されたカッサンドルによる表紙にもまた、裁縫にまつわるイマージュ

fig.1
マックス・エルンスト《『流行は栄えよ、芸術は滅びるとも』(1)》1919年
横浜美術館蔵

が引用された(p.90, 91)。弧を描きながら縫い糸と針が刺さった生地が鋭角的に屹立し、画面一杯に描かれた裁縫バサミは大胆に生地を切り分けている。生き物のように描かれた裁縫道具は、シュルレアリスムの物質に対する即物的な捉え方を余すところなく差し示すものであり、オブジェとしての存在感を印象づけるものである。

　1919年、アンドレ・ブルトンやフィリップ・スーポーらによって試みられた自動記述法(エクリチュール・オートマティック)は、シュルレアリスム運動における重要な取り組みであった。彼らは意識の介入を遠ざけるために文章を書く速度を速めてゆくことによって無意識の状態を招こうとした。速度を速めることも減速することもできるミシンの機能、そして機械的なリズムによって指先で針を操る運針の所作は、繰り返しその行為を持続させることによって自動的(オートマティック)に加速されてゆく循環のなかで、意識を宙吊り状態へと至らせる。そこには、オートマティスムの体質を孕む、裁縫とシュルレアリスムとの密接な関係性が浮上してくるのである。

5. 分断化された身体

自動記述法においてはまた、筆記の速度を速めてゆくことによってやがて文章は解体され、それぞれの単語が意味をなさない物体(オブジェ)のように立ち現れた。既存の無機的物体を作品として見立てるだけでなく、目や手、唇というように、人間の身体の分断化やある部位への偏執狂的な固執は、シュルレアリスムの文脈のなかで数々のオブジェ作品を生み出した。それは彼らにとっての常套手段だったのだ。

　切断された身体の一部とモードにまつわるモティーフは、枚挙に暇がないほど引用されている。シュルレアリスムの先駆と目され、マックス・エルンストやデ・キリコらに影響を与えたといわれるマックス・クリンガーの代表作は、手袋を主題とする作品だった。10枚の版画から成る連作《手袋》(fig.2)は、主人公の男性が、想いを寄せていた女性の手袋をスケート場で拾うことから展開される。時として手袋は、意思をもつ生物のように飛翔し、荒波に揉まれ、この動的なオブジェに翻弄される周囲を睥睨しているかのように描かれている。また1936年に開催されたシュルレアリスムのオブジェ展に、内側に毛皮をあしらったティーカップの作品《草上の昼食》を出展したメレット・オッペンハイムは、爪や水掻きの生えた、あるいは血管の浮き出た手袋(p.98-99)を制作した。

　ダリは当代の人気女優、メイ・ウエストの唇ソファーをデザインした。時代のアイコンはスキャパレッリの感性にも働きかけ、彼女による香水は、ボトルにウエストのボディラインを再現して《ショッキング》が誕生した。マン・レイは《天文台の時――恋人たち》で、横に細く長くなびく唇を空に浮かばせた。写真家である彼の助手であり恋人であったリー・ミラーの唇を描いたものだが、マン・レイはまた彼の元を去っていった麗人の面

影を求めて彼女の眼をメトロノームに仕込んだオブジェも制作した。

　同じ唇から連想されるのは、サミュエル・ベケットによる不条理劇『私じゃない』である。舞台上には身体から切り離され、自律したまま宙に浮かぶ「口」が、「彼女」について語り続ける。その速度は高速で、何を語っているか判別がつかないような有り様である。声とはその人物を特定し体感するための最も確かな痕跡である。声と、それを発するための口という、これ以上間引くことのできない身体的エッセンスの内に、その人物の存在が象徴化されてゆく。時として分断された身体は死滅するのではなく、自律した器官となって存在の全体を引き受け、その身体の部分自身が主人公となって物語が展開されてゆく。「彼ら／彼女ら」は、分断化されることによってよりいっそう生気を漲らせた強烈な一個の存在となる。その顕れはユーモラスでありながら切実であり、どこかほのぼのとしていながら不気味である。それはフロイトが指摘する馴染みあるものへの認識と違和からくる感覚とも重なるだろう。そしてそれはまたパロディの様相を呈しながら、狂気の気配さえ宿していた。ベケットは1928年から2年ほどの間パリに住み、1937年からこの地に定住している。アイルランドのダブリンに生まれた彼が当時パリで交流をもち影響を受けていたのは同国人のジェイムズ・ジョイスだったが、ともに寄稿していた雑誌にはシュルレアリストらによる数多くの作品が掲載されており、シュルレアリスムからは何某かの影響を受けていたはずである。

　対極にあるものとして、身体の最低部と最高部に位置するはずであった靴と帽子の機能性と配置は逆転し、認識をデペイゼ（＝転地）させて交換することによって、ダリとスキャパレッリとのコラボレーションである《シューハット》が生み出された。ダリはこのような逆転の発想をフル稼働させている。彼は「美とは可食的であるだろう」と唱えているが、熊谷登喜夫の《食べる靴》(p.130, 131)は、このダリの可食性に対する発想からヒントを得て制作されたものであろう。それは機能性を破壊して視覚的刺激を呼び覚ますものであった。

　身体と顔のパーツによるデペイズマンは、アンドレ・ブルトンの著書『シュルレアリスムとは何か』の表紙にもなったルネ・マグリットによる絵画《強姦》にもみることができる。ウェーブのかかった豊かな頭髪に縁どられた顔には、女性の裸体が嵌め込まれている。両方の乳房はちょうど両眼の位置に、臍は鼻腔、足の付け根は口の位置に置かれて身体が顔に擬態し、身体の各部分が顔の不可思議な顕れを生み出して、驚愕の表情を浮かべているように見える。それはエロスの対象としての「見られる裸体」と、それを見る主体としての「顔」との融合体であり、この不

fig.2
マックス・クリンガー《『手袋』：行為》
1881年　国立西洋美術館蔵

気味なデペイズマンの試みが、覗いてはいけない密室を覗き見るような一種の罪悪感を呼び覚ますものであることを、作家自身も意図していたと思われるのは、そのタイトルからも類推することができる（しかしマグリットの場合、タイトルは作品に対して反語的に、あるいは全く脈略なく付されることも通例であった）。それは侮辱される側と蹂躙する側の不愉快なまでに不条理な邂逅であった。そしてそれはまた、モードとして見られる対象と見る側との関係性をも想起させるものであった。

6. おわりに

運動体としてのシュルレアリスムは1966年のアンドレ・ブルトンの死をもって終焉を迎えることになるが、その思想が滅びることはない。1924年に「シュルレアリスム宣言」で定義づけがなされた世界への認識や捉え方はその時代特有のものではなく、我々が今を生きるこの世界と地続きである。超現実——日常の裂け目に立ち現れてくるより強度な現実——は、シュルレアリスム前史においても確かに存在していたのである。

展覧会を見渡して気づかされるのは統合された全体ではなく、「部分」に引き寄せられてゆく感覚である。分断化された身体やオブジェとしての顕れがモードのなかで示される時、そこには〈奇想〉の風景が出現する。さらに髪や帽子、靴といった身体の先端を司るモード——髪は人体における無数の先端である——のなかに頻度高くして、我々を瞠目させるエキセントリックな意匠が創出された。それはシュルレアリスムのオブジェによって示されていた物質の放つ強烈な存在感と、オブジェ同士の邂逅によるデペイズマンの力によって具現化された「痙攣する美」を纏う願望の対象——「奇想のモード」の原風景だったのである。

1　『広辞苑　第六版』岩波書店、2011年
2　辻惟雄『奇想の系譜』（ちくま学芸文庫）、筑摩書房、2004年、p.241「あとがき」所収
3　同書、p.242
4　註1前掲書
5　ジュディス・ワット『VOGUE ON エルザ・スキャパレリ』武田裕子訳、ガイアブックス、2012年、p.144
6　同書、p.89
7　エルザ・スキャパレリ『ショッキング・ピンクを生んだ女　私はいかにして伝説のデザイナーになったか』長澤均監修、赤塚きょう子訳、ブルース・インターアクションズ、2008年、p.78

作品リスト

List of Works

・作品データは、掲載ページ、作家名(記載のない作品は不詳)、作品タイトル、制作・出版年、素材・技法、サイズ
　(高さ×幅×奥行)、所蔵先の順に掲載した。一部の作品については、寄贈元、撮影者を追記した。
・データは所蔵先からの提供に基づいている。
・展覧会の展示作品で、本書に掲載していない作品には、掲載ページの箇所に＊を記した。
・作家名において、デザイナー名とブランド名が同じ場合、ひとつの表記のみとした。デザイナーが不詳でブランド名
　を表記している場合は、末尾に◉を記した。

・The works are listed in the following order: page, artist's name (unknown for works not listed), title, year of production/publication,
　material/technique, size (H×W×D), and collection. The donor and photographer may also be added.
・These data are based on information provided by the collection.
・Works displayed during the exhibition but not included in this book are marked with an asterisk (＊) instead of a page number.
・When the name of the artist is the same as the name of the designer and the name of the brand, only one name is used. When the
　designer is unknown and the brand name is given, a circular mark (◉) is added at the end.

＊
サルヴァドール・ダリ
抽き出しのあるミロのヴィーナス
1936-64年
ブロンズ、白貂の毛
98×33×32cm
諸橋近代美術館

Salvador DALÍ
Venus of Milo with Drawers
1936-64
Bronze and white marten hair
98×33×32cm
Morohashi Museum of Modern Art
Foundation

＊
サルヴァドール・ダリ
炎の女
1980年
ブロンズ
176×47×72cm
諸橋近代美術館

Salvador DALÍ
Woman Aflame
1980
Bronze
176×47×72cm
Morohashi Museum of Modern Art
Foundation

Chapter 1
有機物への偏愛

Favoring the Organic

p.11
ヤン・ファーブル
甲冑(カラー)
1996-2002年
鉄網、玉虫の羽根
23×32×15cm
フェリエ肇子蔵

Jan FABRE
Hals Pantser
1996-2002
Iron netting, jewel beetle wings
23×32×15cm
Collection of Toshiko Ferrier

p.13
ブローチ
19世紀 イギリス
玉虫、10金、ルビー
4.29×2.58cm
アクセサリーミュージアム

Brooch
19th century England
Jewel beetle, 10k gold, ruby
4.29×2.58cm
Accessory Museum

p.13
ブローチ
1860-80年頃 イギリス
ブローチハムシ、銀、彩色
1.41×6.42cm
アクセサリーミュージアム

Brooch
c. 1860-80 England
Brooch beetle, silver, painted
1.41×6.42cm
Accessory Museum

p.13
ブローチ
19-20世紀 イギリス
ブローチハムシ、金属
1.19×5.57cm
アクセサリーミュージアム

Brooch
19th-20th century England
Brooch beetle, metal
1.19×5.57cm
Accessory Museum

p.15
ライチョウの足のピン
19世紀後半-20世紀初期 スコットランド
ライチョウの足、銀または金属
6.73×3.12cm
アクセサリーミュージアム

Scottish Grouse Foot Pin
Late 19th century-early 20th century
Scotland
Grouse leg, silver or metal
6.73×3.12cm
Accessory Museum

p.15
WBS(Ward Brothers)工房
ライチョウの足のブローチ
1953年 スコットランド
ライチョウの足、ガラス、銀
6.64×2.58cm
アクセサリーミュージアム

Ward Brothers Studio
Scottish Grouse Foot Brooch
1953 Scotland
Grouse legs, glass, silver
6.64×2.58cm
Accessory Museum

p.16-17
ジョン・ガリアーノ／メゾン・マルジェラ
ミュール (2015年秋冬)
2015年
フェイクファー、レザー、レザーソール
各 17×9×25cm
舘鼻則孝コレクション

John GALLIANO / MAISON
MARGIELA
Mule
2015
Faux fur, leather, leather sole
17×9×25cm each

Collection of Noritaka Tatehana

p.18
スティーヴン・ジョーンズ
ヘア・アクセサリー (1994年秋冬)
1994年
猿の毛(？)
33×24×3cm
京都服飾文化研究財団 京都服飾文化研究
財団撮影

Stephen JONES
Hair Accessory
1994
Ape hair (?)
33×24×3cm
The Kyoto Costume Institute, photo by
The Kyoto Costume Institute

p.19
ジョージ・ニーズ◉
ジャケット
1930年代
猿の毛
京都服飾文化研究財団 金井純氏寄贈 成
田舞(Neki. inc)撮影

GEORGE KNIES◉
Jacket
1930s
Ape hair
The Kyoto Costume Institute, Gift of Ms.
Jun I. Kanai, photo by Mai Narita
(Neki. inc)

p.21-27
ジャン＝テオドール・デュパ
カタログ『Toi』
1926年頃
紙に印刷
27.5×21cm
京都服飾文化研究財団

Jean Théodore DUPAS
Catalogue "Toi"
c. 1926
Print on paper
27.5×21cm
The Kyoto Costume Institute

Chapter 2
歴史にみる奇想のモード

The Bizarre and the Mode
Throughout History

p.30-31
紙製着せ替え人形
1839-41年
紙に銅板印刷、手彩色
19×8cm
京都服飾文化研究財団 成田舞(Neki. inc)
撮影

Paper dolls
1839-41
Paper; Copperplate printing and

hand-tinted
19×8cm
The Kyoto Costume Institute, photo by
Mai Narita (Neki. inc)

p.32-33
コルセット
1880年頃 イギリス
シルクサテン
神戸ファッション美術館

Corset
c. 1880 England
Silksatin
KOBE FASHION MUSEUM

p.35
纏足鞋
19世紀末-20世紀初頭 中国
絹、木綿、革、刺繍
7.8×4.7×14.5cm
神戸ファッション美術館

Pair of shoes for bound feet
Late 19th-early 20th century China
Silk, cotton, leather, embroidery
7.8×4.7×14.5cm
KOBE FASHION MUSEUM

p.35
纏足鞋
19世紀末-20世紀初頭 中国
絹、木綿、革、刺繍
5.2×5×12.8cm
神戸ファッション美術館

Pair of shoes for bound feet
Late 19th-early 20th century China
Silk, cotton, leather, embroidery
5.2×5×12.8cm
KOBE FASHION MUSEUM

p.35
纏足鞋
19世紀末-20世紀初頭 中国
絹、木綿、革、刺繍
7.3×4.8×15cm
神戸ファッション美術館

Pair of shoes for bound feet
Late 19th-early 20th century China
Silk, cotton, leather, embroidery
7.3×4.8×15cm
KOBE FASHION MUSEUM

Chapter 3
ヘアー
髪へと向かう、狂気の愛
A Mad Love of Hair

p.38
ピアス
19世紀中期 イギリス
人毛、金属
モチーフ部 4.71×1.4cm
アクセサリーミュージアム

Pierced earrings
Mid-19th century England
Human hair, metal
4.71×1.4cm (motif)
Accessory Museum

p.39
ブローチ
19世紀中期 イギリス
人毛、金属

モチーフ部 3.03×3.81cm
アクセサリーミュージアム

Brooch
Mid-19th century England
Human hair, metal
3.03×3.81cm (motif)
Accessory Museum

p.40-41
ブレスレット
19世紀中期-後期 イギリス
人毛、ガラス、金属、天然真珠、写真
ベゼル部 4.61×3.85cm、内径 4.44cm
アクセサリーミュージアム

Bracelet
Mid to late 19th century England
Human hair, glass, metal, natural
pearls, photographs
4.61×3.85cm (bezel), 4.44cm (inner
diameter)
Accessory Museum

p.42
ブローチ
1846年 イギリスまたはフランス
人毛、金属、七宝、ガラス、天然真珠
4.98×5.61cm
アクセサリーミュージアム

Brooch
1846 England or France
Human hair, metal, cloisonne, glass,
natural pearl
4.98×5.61cm
Accessory Museum

p.42
ブローチ
19世紀中期 イギリス
人毛、金属、ガラス、天然真珠、布
5.26×6.3cm
アクセサリーミュージアム

Brooch
Mid-19th century England
Human hair, metal, glass, natural
pearls, cloth
5.26×6.3cm
Accessory Museum

p.43
ブローチ
1858年 イギリス
人毛、金属、七宝、ガラス
3.33×4cm
アクセサリーミュージアム

Brooch
1858 England
Human hair, metal, cloisonne, glass
3.33×4cm
Accessory Museum

p.44
ブローチ
19世紀中期-後期 イタリア
ラーバ(溶岩)、人毛、金属、ガラス
6.15×5.52cm
アクセサリーミュージアム

Brooch
Mid to late 19th century Italy
Lava (lava), human hair, metal, glass
6.15×5.52cm
Accessory Museum

p.45
ペンダントトップ
19世紀初頭 イギリスと思われる
人毛、金属、象牙、布
4.36(金具を含む)×2.82cm
アクセサリーミュージアム

Pendant top
Early 19th century possibly British
Human hair, metal, ivory, cloth
4.36 (include loop) ×2.82cm
Accessory Museum

p.46-47
ロケット(ペンダントトップ)
19世紀中期-後期 イギリス
人毛、銀、写真、天然真珠、ガラス、布、七宝
6.3×3.59cm
アクセサリーミュージアム

Locket (pendant top)
Mid to late 19th century England
Human hair, silver, photography,
natural pearls, glass, cloth, cloisonne
6.3×3.59cm
Accessory Museum

p.48-49
小谷元彦
ダブル・エッジド・オヴ・ソウト(ドレス02)
1997年
毛髪、発色現像方式印画
ドレス:172×67×3cm、写真:23.5×18.5cm
金沢21世紀美術館

Motohiko ODANI
Double Edged of Thought (Dress 02)
1997
Hair, chromogenic print
Dress: 172×67×3cm, photograph: 23.5×
18.5cm
21st Century Museum of Contemporary
Art, Kanazawa

p.50-51
マルタン・マルジェラ
ドレス(2004年秋冬)
2004年
レーヨン・ジャージー、ネックレスはビーバー
の毛
京都服飾文化研究財団 京都服飾文化研究
財団撮影

Martin MARGIELA
Dress
2004
Rayon jersey, beaver fur necklace
The Kyoto Costume Institute, photo by
The Kyoto Costume Institute

*
永澤陽一
ボディ・アクセサリー(2004年秋冬)
2004年
人工毛、スウェードの紐
1. 80×43cm、2. 27×27cm
京都服飾文化研究財団 株式会社STIL寄贈

Yoichi NAGASAWA
Body Accessory
2004
Artificial hair, suede string
1. 80×43cm, 2. 27×27cm
The Kyoto Costume Institute, Gift of
STIL Co., LTD.

p.52
ヘルベルト・ロイビン
パンテーン社ポスター
1945年

The Kyoto Costume Institute, photo by
Takashi Hatakeyama

p.75
エルザ・スキャパレッリ
帽子
1940年代
土台にエーギュレットの羽根
52×60×6cm
京都服飾文化研究財団　畠山崇撮影

Elsa SCHIAPARELLI
Hat
1940s
A base with Aguillet feathers
52×60×6cm
The Kyoto Costume Institute, photo by
Takashi Hatakeyama

p.77
帽子
1950年代
絹シフォンの土台に蝋やシュニール糸
22×17×7.5cm
京都服飾文化研究財団　畠山崇撮影

Hat
1950s
Silk chiffon base with wax and chenille
threads
22×17×7.5cm
The Kyoto Costume Institute, photo by
Takashi Hatakeyama

Chapter 5
シュルレアリスムとモード
Surrealism and Mode

p.81
『ヴォーグ』1939年6月1日号
表紙：サルヴァドール・ダリ
雑誌
32.5×25cm
個人蔵

Vogue, June 1, 1939
Cover: Salvador Dalí
Magazine
32.5×25cm
Private Collection

p.83
マン・レイ
イシドール・デュカスの謎
1920年
ゼラチン・シルヴァー・プリント
30.5×40.6cm
東京富士美術館

Man RAY
The Enigma of Isidor Ducasse
1920
Gelatin silver print
30.5×40.6cm
Tokyo Fuji Art Museum

p.84
ジョセフ・コーネル
無題
1931年(『ハーパース・バザー』1937年2月号より)
雑誌
32.5×25cm
個人蔵

Josef CORNELL
Untitled
1931 (From *Harper's BAZAAR*, February,

1937)
Magazine
32.5×25cm
Private Collection

p.85
ジョセフ・コーネル
無題
1931年(『ハーパース・バザー』1937年2月号より)
雑誌
32.5×25cm
個人蔵

Josef CORNELL
Untitled
1931 (From *Harper's BAZAAR*, February,
1937)
Magazine
32.5×25cm
Private Collection

p.86
マン・レイ
**解剖台の上のミシンと蝙蝠傘の偶然の出会
いのように美しい**
1935年頃
ゼラチン・シルヴァー・プリント
20.2×27.9cm
横浜美術館

Man RAY
**Beautiful like the Accidental
Encounter between a Sewing
Machine and an Umbrella on a
Dissection Table**
c. 1935
Gelatin silver print
20.2×27.9cm
Yokohama Museum of Art

p.87
マン・レイ
贈り物
1921/72年
アイロン、釘
9.3×9.6×16cm
東京富士美術館

Man RAY
Gift
1921/72
Iron, nail
9.3×9.6×16cm
Tokyo Fuji Art Museum

p.89
ハインリッヒ・マーラー
PKZ社ポスター
1939年
リトグラフ・紙
127.8×90.8cm
竹尾ポスターコレクション　多摩美術大学
アートアーカイヴセンター

Heinrich MAHLER
PKZ
1939
Lithograph on paper
127.8×90.8cm
TAKEO Poster Collection, Tama Art
University Art Archive Center

p.90
『ハーパース・バザー』1937年2月号
表紙：アドルフ・ムーロン・カッサンドル
雑誌
32.5×25cm
個人蔵

Harper's BAZAAR, February, 1937

Cover: Adolphe Mouron Cassandre
Magazine
32.5×25cm
Private Collection

p.91
『ハーパース・バザー』1938年2月号
表紙：アドルフ・ムーロン・カッサンドル
雑誌
32.5×25cm
個人蔵

Harper's BAZAAR, February, 1938
Cover: Adolphe Mouron Cassandre
Magazine
32.5×25cm
Private Collection

p.92
渡辺 武
祈り
1938年
油彩・カンヴァス
72.1×91.1cm
板橋区立美術館

Takeshi WATANABE
Prayer
1938
Oil on canvas
72.1×91.1cm
Itabashi Art Museum

p.93
渡辺 武
風化
1939年
油彩・カンヴァス
116.7×90.9cm
板橋区立美術館

Takeshi WATANABE
Weathering
1939
Oil on canvas
116.7×90.9cm
Itabashi Art Museum

p.95
マックス・エルンスト
シュルレアリスム国際展ポスター
1936年
凸版印刷・紙
75.9×50.7cm
竹尾ポスターコレクション　多摩美術大学
アートアーカイヴセンター

Max ERNST
**International Surrealist Exhibition /
New Burlington Galleries**
1936
letterpress on paper
75.9×50.7cm
TAKEO Poster Collection, Tama Art
University Art Archive Center

p.97
ポール・エリュアール／マン・レイ
『容易』
1935年(出版：GLM、パリ)
書籍
24.5×18.4cm
東京富士美術館

Paul ÉLUARD / Man RAY
Facile
1935 (Published by GLM, Paris)
Book
24.5×18.4cm
Tokyo Fuji Art Museum

p.97
ポール・エリュアール／マン・レイ
『自由な手』
1937年(出版：ジャンヌ・ビュシェ[No 378/675
部]、パリ)
書籍
28.3×23.5cm
東京富士美術館

Paul ÉLUARD / Man RAY
Les mains libres
1937 (Published by Jeanne Bucher, Paris)
Book
28.3×23.5cm
Tokyo Fuji Art Museum

p.98-99
メレット・オッペンハイム
『パルケット』4号 デラックス版 メレット・
オッペンハイム：手袋
1985年
羊皮にシルクスクリーンをほどこした手袋、
カットアウトしたシート
25.6×21.3×1.8cm
うらわ美術館

Meret OPPENHEIM
**Deluxe Edition PARKETT No. 4
Meret Oppenheim: Glove**
1985 (Parkett Verlag AG, Zürich)
Fine goat suede, silk-screen, hand-
stitching, cut-out sheets
25.6×21.3×1.8cm
Urawa Art Museum

p.100
『ハーパース・バザー』1938年10月号
表紙：アドルフ・ムーロン・カッサンドル
雑誌
32.5×25cm
個人蔵

Harper's BAZAAR, October, 1938
Cover: Adolphe Mouron Cassandre
Magazine
32.5×25cm
Private Collection

p.101
ハリー・ゴードン
ポスター・ドレス
1968年頃
不織布に目のプリント
京都服飾文化研究財団 畠山崇撮影

Harry GORDON
Poster Dress
c. 1968
Non-woven fabric with eye print
The Kyoto Costume Institute, photo by
Takashi Hatakeyama

p.103
マン・レイ
修復されたヴィーナス
1936/71年
石膏のヴィーナス、紐
41×44×71cm
東京富士美術館

Man RAY
Venus Restored
1936/71
Plaster cast and rope
41×44×71cm
Tokyo Fuji Art Museum

p.104
マン・レイ
室内または静物＋部屋

1918年
油彩、コラージュ・石膏板
81.2×90.4cm
東京富士美術館

Man RAY
Interior or Still Life + Room
1918
Collage, oil on plasterboard
81.2×90.4cm
Tokyo Fuji Art Museum

p.105
ザンティ・シャヴィンスキー
プリンケプス社ポスター
1934年
リトグラフ・紙
140.3×99.1cm
竹尾ポスターコレクション 多摩美術大学
アートアーカイヴセンター

Xanti SCHAWINSKY
Princeps S.A. Cervo Italia
1934
Lithograph on paper
140.3×99.1cm
TAKEO Poster Collection, Tama Art
University Art Archive Center

p.107
ジョルジョ・デ・キリコ
ヘクトールとアンドロマケー
1930年頃
油彩・カンヴァス
92.2×73cm
ポーラ美術館

Giorgio DE CHIRICO
Hector and Andromache
c. 1930
Oil on canvas
92.2×73cm
Pola Museum of Art

p.108
平井輝七
モード
1938年
ゼラチン・シルヴァー・プリント (着彩)
41.8×29.8cm
東京都写真美術館

Terushichi HIRAI
Mode
1938
Gelatin silver print (colouring)
41.8×29.8cm
Tokyo Photographic Art Museum

p.109
平井輝七
生命
1938年
ゼラチン・シルヴァー・プリント (着彩)
39.6×32cm
東京都写真美術館

Terushichi HIRAI
Life
1938
Gelatin silver print (colouring)
39.6×32cm
Tokyo Photographic Art Museum

p.110
ウジェーヌ・アジェ
紳士服店、ゴブラン通り
1925年
ゼラチン・シルヴァー・プリント
22.7×17.1cm

東京都写真美術館

Eugène ATGET
Men's clothing store, Gobelins Street
1925
Gelatin silver print
22.7×17.1cm
Tokyo Photographic Art Museum

p.111
ウジェーヌ・アジェ
マネキン
1926-27年
ゼラチン・シルヴァー・プリント
23×17cm
東京都写真美術館

Eugène ATGET
Mannequin
1926-27
Gelatin silver print
23×17cm
Tokyo Photographic Art Museum

p.112
インジフ・シュティルスキー
この頃の針の上で
1934-35年
ゼラチン・シルヴァー・プリント
8.8×8.5cm
東京都写真美術館

Jindřich ŠTYRSKÝ
On the Needles of These Days
1934-35
Gelatin silver print
8.8×8.5cm
Tokyo Photographic Art Museum

p.113
インジフ・シュティルスキー
この頃の針の上で
1934-35年
ゼラチン・シルヴァー・プリント
9×8.5cm
東京都写真美術館

Jindřich ŠTYRSKÝ
On the Needles of These Days
1934-35
Gelatin silver print
9×8.5cm
Tokyo Photographic Art Museum

p.114-115
インジフ・シュティルスキー
この頃の針の上で
1934-35年
ゼラチン・シルヴァー・プリント
8.9×8.5cm
東京都写真美術館

Jindřich ŠTYRSKÝ
On the Needles of These Days
1934-35
Gelatin silver print
8.9×8.5cm
Tokyo Photographic Art Museum

p.116
ハンス・ベルメール
人形
1935年
ゼラチン・シルヴァー・プリント
25.7×26.6cm
東京都写真美術館

Hans BELLMER
La poupée
1935

2006年
木に金色の塗装
32×30×2cm
京都服飾文化研究財団　京都服飾文化研究
財団撮影

Martin MARGIELA
Necklace
2006
Gold paint on the wood
32×30×2cm
The Kyoto Costume Institute, photo by
The Kyoto Costume Institute

p.135
マルタン・マルジェラ
ネックレス（2006年秋冬）
2006年
木に金色の塗装
35×28.5×3cm
京都服飾文化研究財団　京都服飾文化研究
財団撮影

Martin MARGIELA
Necklace
2006
Gold paint on the wood
35×28.5×3cm
The Kyoto Costume Institute, photo by
The Kyoto Costume Institute

p.138
ドルチェ＆ガッバーナ
ネックレス
2005年秋以降-2006年　イタリア
プラスチック、鉄、真鍮、ラインストーン
内径 10.1cm、プラスチック厚み 0.3cm、鍵
（一番小さい物）2.65cm、鍵（一番大きい
物）10.19cm
アクセサリーミュージアム

Dolce & Gabbana
Necklace
2005 Autumn-2006 Italy
Plastic, iron, brass, rhinestone
About 10.1cm (inner diameter), 0.3cm
(thickness of plastic), Key (smallest)
2.65cm, Key (max) 10.19cm
Accessory Museum

p.139
ドルチェ＆ガッバーナ
ネックレス
2005年秋以降-2006年　イタリア
プラスチック、真鍮、スチール（推定）
内径 10.47cm、プラスチック厚み 0.3cm、王
冠 3.05cm
アクセサリーミュージアム

Dolce & Gabbana
Necklace
2005 Autumn-2006 Italy
Plastic, brass, steel (estimated)
About 10.47cm (inner diameter), 0.3cm
(thickness of plastic), 3.05cm(bottle
crown cap)
Accessory Museum

Chapter 7
和の奇想 ―帯留と花魁の装い

The Fantastic in Japanese Clothing
—Obi Clips and Courtesan's
Turnouts

p.142
帯留「蝙蝠」
大正期-昭和初期
彫金

1.5×5.2cm
池田重子コレクション　中村淳撮影

Sash clip, "Bat"
Taisho period-early Showa period
Engraving
1.5×5.2cm
Collection of Shigeko Ikeda, photo by
Jun Nakamura

p.143
帯留「百足」
昭和期
彫金
1.5×7cm
池田重子コレクション　中村淳撮影

Sash clip, "Centipede"
Showa period
Engraving
1.5×7cm
Collection of Shigeko Ikeda, photo by
Jun Nakamura

p.144-145
四代歌川豊国／昇斎一景
江戸町壱丁目　佐野槌金子合併　五階造より
隅田川遠覧の図
明治 5年(1872)
大判錦絵三枚続
各 35.7×24.2cm
舘鼻則孝コレクション

UTAGAWA Toyokuni IV / SHOSAI
Ikkei
View of the Sumida River in the
Distance from the Fifth Floor of a
Brothel in Edo-cho 1-chome
1872
Vertical ōban triptych, nishiki-e
35.7×24.2cm each
Collection of Noritaka Tatehana

p.146
二代歌川豊国
玉弥内　清川
文政 8-天保 5年(1825-34) 頃
大判錦絵
38.9×26.4cm
舘鼻則孝コレクション

UTAGAWA Toyokuni II
Kiyokawa of the Tamaya
c. 1825-34
Vertical ōban, nishiki-e
38.9×26.4cm
Collection of Noritaka Tatehana

p.147
豊原国周
見立昼夜廿四時之内　午后十時
明治 24年(1891)
大判錦絵
36.6×24.7cm
舘鼻則孝コレクション

TOYOHARA Kunichika
Courtesan at 10 p.m.—Scenes of the
Twenty-four Hours
1891
Vertical ōban, nishiki-e
36.6×24.7cm
Collection of Noritaka Tatehana

p.148
渓斎英泉
今様美女競　娼妓
文政 8年(1825) 頃
大判錦絵
38.5×26.4cm

舘鼻則孝コレクション

KEISAI Eisen
The Modern Beauty Competition:
Courtesan
c. 1825
Vertical ōban, nishiki-e
38.5×26.4cm
Collection of Noritaka Tatehana

p.148
渓斎英泉
浮世絵風俗美女競　一双玉手千人枕
文政 6-7年(1823-24) 頃
大判錦絵
36.9×25.7cm
舘鼻則孝コレクション

KEISAI Eisen
A Beauty Competition in the Ukiyo-e
Manner: A Courtesan's Life
c. 1823-24
Vertical ōban, nishiki-e
36.9×25.7cm
Collection of Noritaka Tatehana

p.149
渓斎英泉
契情道中双婦　玉屋内　花紫
文政 8年(1825) 頃
大判錦絵
36.9×25cm
舘鼻則孝コレクション

KEISAI Eisen
Hanamurasaki of the Tamaya, from
the series A Tōkaidō Board Game of
Courtesans: Fifty-three Pairings in the
Yoshiwara
c. 1825
Vertical ōban, nishiki-e
36.9×25cm
Collection of Noritaka Tatehana

p.149
喜多川式麿
今容女歌仙　三拾六番続　赤蔦内　蔦葛
やまし　かつの
文化 10年(1813) 頃
大判錦絵
38.6×26.7cm
舘鼻則孝コレクション

KITAGAWA Shikimaro
Female Poetic Immortals: Tsuta-
Katsura of the Akatsuta
c. 1813
Vertical ōban, nishiki-e
38.6×26.7cm
Collection of Noritaka Tatehana

p.150, 152-153
歌川国貞
江戸新吉原八朔白無垢の図
文化-天保(1804-45) 頃
大判錦絵三枚続
各 37.3×24.6cm
東京都江戸東京博物館

UTAGAWA Kunisada
Shin-Yoshiwara Courtesans Wearing
White on the First Day of the Eighth
Month
c. 1804-45
Vertical ōban triptych, nishiki-e
37.3×24.6cm each
Tokyo Metropolitan Edo-Tokyo Museum

34×21×8cm each
Collection of the artist, photo by
Noritaka Tatehana

p.173
舘鼻則孝
ヒールレスシューズ／レディーポワント
2014年
牛革、豚革、染料、クリスタルガラス、サテン
リボン
各 46×7.5×14cm
小山登美夫蔵 GION撮影

Noritaka TATEHANA
Heel-less Shoes / Lady Pointe
2014
Cowhide, pig suede, color, glass crystal,
satin ribbon
46×7.5×14cm each
Tomio Koyama Collection, photo by
GION

p.173
舘鼻則孝
ヒールレスシューズ／アリスの青い靴
2018年
牛革、豚革、染料、クリスタルガラス、真鍮
各 19.7×8.4×21.8cm
株式会社レクター蔵 木奥恵三撮影

Noritaka TATEHANA
Heel-less Shoes / Alice Blue Shoes
2018
Cowhide, pig suede, color, glass crystal,
brass
19.7×8.4×21.8cm each
Collection of rector, inc., photo by Keizo
Kioku

p.174-175
舘鼻則孝
ヒールレスシューズ
2021年
牛革、豚革、染料、コーティングクリスタル
ガラス、金属ファスナー
各 54×11×22cm
作家蔵

Noritaka TATEHANA
Heel-less Shoes
2021
Dyed cowhide, pig suede, coated glass
crystal, metal fastener
54×11×22cm each
Collection of the artist

p.174-175
舘鼻則孝
ヒールレスシューズ
2021年
牛革、豚革、染料、コーティングクリスタル
ガラス、金属ファスナー
各 45×10.6×22.3cm
作家蔵

Noritaka TATEHANA
Heel-less Shoes
2021
Dyed cowhide, pig suede, coated glass
crystal, metal fastener
45×10.6×22.3cm each
Collection of the artist

p.174-175
舘鼻則孝
ヒールレスシューズ
2021年
牛革、豚革、染料、コーティングクリスタル
ガラス、金属ファスナー
各 33×9.7×19cm

作家蔵

Noritaka TATEHANA
Heel-less Shoes
2021
Dyed cowhide, pig suede, coated glass
crystal, metal fastener
33×9.7×19cm each
Collection of the artist

p.174-175
舘鼻則孝
ヒールレスシューズ
2021年
牛革、豚革、染料、コーティングクリスタル
ガラス、金属ファスナー
各 31.5×8.8×20cm
作家蔵

Noritaka TATEHANA
Heel-less Shoes
2021
Dyed cowhide, pig suede, coated glass
crystal, metal fastener
31.5×8.8×20cm each
Collection of the artist

p.174-175
舘鼻則孝
ベビーヒールレスシューズ
2021年
牛革、豚革、染料、コーティングクリスタル
ガラス、金属ファスナー
各 27.2×7.5×12.5cm
作家蔵

Noritaka TATEHANA
Baby Heel-less Shoes
2021
Dyed cowhide, pig suede, coated glass
crystal, metal fastener
27.2×7.5×12.5cm each
Collection of the artist

p.174-175
舘鼻則孝
ベビーヒールレスシューズ
2021年
牛革、豚革、染料、コーティングクリスタル
ガラス、金属ファスナー
各 25.5×6.5×11cm
作家蔵

Noritaka TATEHANA
Baby Heel-less Shoes
2021
Dyed cowhide, pig suede, coated glass
crystal, metal fastener
25.5×6.5×11cm each
Collection of the artist

p.174-175
舘鼻則孝
ベビーヒールレスシューズ
2021年
牛革、豚革、染料、コーティングクリスタル
ガラス、金属ファスナー
各 17.6×7.2×12.3cm
作家蔵

Noritaka TATEHANA
Baby Heel-less Shoes
2021
Dyed cowhide, pig suede, coated glass
crystal, metal fastener
17.6×7.2×12.3cm each
Collection of the artist

p.178
串野真也
Soukei
2020年
西陣織、牛革、羽根、真鍮
各 67×12×41cm
作家蔵

Masaya KUSHINO
Soukei
2020
Nishijin silk fabrics, cow leather, feather,
brass
67×12×41cm each
Collection of the artist

p.179
串野真也
Hakuo
2016年
牛革、鰐革、羽根、真鍮
各 110×12×60cm
作家蔵

Masaya KUSHINO
Hakuo
2016
Cow leather, crocodile, feather, brass
110×12×60cm each
Collection of the artist

p.180-181
串野真也
Rabbit
2010年
牛革、羊毛、真鍮
各 37×7×23cm
作家蔵

Masaya KUSHINO
Rabbit
2010
Cow leather, lamb fur, brass
37×7×23cm each
Collection of the artist

p.182-183
串野真也
Aries
2007年
牛革、羊毛
各 21×10.5×28cm
作家蔵

Masaya KUSHINO
Aries
2007
Cow leather, lamb fur
21×10.5×28cm each
Collection of the artist

p.184
串野真也
Queen of war
2011年
鰐革、狐の毛皮
各 27.5×8×26cm
作家蔵

Masaya KUSHINO
Queen of war
2011
Crocodile, fox fur
27.5×8×26cm each
Collection of the artist

p.186-187
串野真也
Bird-witched
2014年

西陣織、鰐革、真鍮
各 24×8×24cm
作家蔵

Masaya KUSHINO
Bird-witched
2014
Nishijin silk fabrics, crocodile, brass
24×8×24cm each
Collection of the artist

p.186-187
串野真也
Bird-witched
2014年
西陣織、鰐革、羽根、真鍮
各 27.5×15×31.5cm
作家蔵

Masaya KUSHINO
Bird-witched
2014
Nishijin silk fabrics, crocodile, feather, brass
27.5×15×31.5cm each
Collection of the artist

p.186-187, 189
串野真也
Bird-witched
2014年
西陣織、鰐革、羽根、真鍮
各 38×12×29cm
作家蔵

Masaya KUSHINO
Bird-witched
2014
Nishijin silk fabrics, crocodile, feather, brass
38×12×29cm each
Collection of the artist

p.190
串野真也
Chimera short boots BL
2009年
牛革、狐の毛皮、真鍮
各 27×8×40cm
作家蔵

Masaya KUSHINO
Chimera short boots BL
2009
Cow leather, fox fur, brass
27×8×40cm each
Collection of the artist

p.191-192
串野真也
Chimera Long boots WT
2009年
牛革、狐の毛皮、真鍮
各 81×8×40cm
作家蔵

Masaya KUSHINO
Chimera Long boots WT
2009
Cow leather, fox fur, brass
81×8×40cm each
Collection of the artist

p.193-194
串野真也
LUNG-TSHUP-TA
2009年
牛革、木、漆、人毛
各 27.5×8×33cm
作家蔵

Masaya KUSHINO

LUNG-TSHUP-TA
2009
Cow leather, wood, japanese lacquer, human hair
27.5×8×33cm each
Collection of the artist

p.195
串野真也
Queen of the dark
2011年
駝鳥の革、山羊の毛皮、エイの革
各 26×9×25cm
作家蔵

Masaya KUSHINO
Queen of the dark
2011
Ostrich, goat fur, stingray
26×9×25cm each
Collection of the artist

p.196
串野真也
Stairway to heaven
2013年
山羊革、羊の毛皮、烏の羽根
各 28×25×26cm
作家蔵

Masaya KUSHINO
Stairway to heaven
2013
Goat leather, lamb fur, crow feathers
28×25×26cm each
Collection of the artist

p.197
串野真也
Guardian deity Bird
2017年
西陣織、鰐革、羽根、真鍮
各 36×8×37cm
作家蔵

Masaya KUSHINO
Guardian deity Bird
2017
Nishijin silk fabrics, crocodile, feather, brass
36×8×37cm each
Collection of the artist

p.198
串野真也
Guardian deity Crocodile
2017年
蛇革、鰐革
各 33.5×12×25cm
作家蔵

Masaya KUSHINO
Guardian deity Crocodile
2017
Python, crocodile
33.5×12×25cm each
Collection of the artist

p.199, 208
串野真也
Sphinx of the forest
2017年
蛇革、真鍮、玉虫の羽根
各 32×8×24cm
作家蔵

Masaya KUSHINO
Sphinx of the forest
2017
Python, brass, jewel beetle

32×8×24cm each
Collection of the artist

p.200-202
永澤陽一
ジョッパーズパンツ《恐れと狂気》
2008年
馬の革
神戸ファッション美術館

Yoichi NAGASAWA
Jodhpurs pants, *Fear and Madness*
2008
Horse leather
KOBE FASHION MUSEUM

p.200-202
永澤陽一
ジョッパーズパンツ《恐れと狂気》
2008年
シマウマの革
神戸ファッション美術館

Yoichi NAGASAWA
Jodhpurs pants, *Fear and Madness*
2008
Zebra leather
KOBE FASHION MUSEUM

p.200-202
永澤陽一
ジョッパーズパンツ《恐れと狂気》
2008年
馬の革
神戸ファッション美術館

Yoichi NAGASAWA
Jodhpurs pants, *Fear and Madness*
2008
Horse leather
KOBE FASHION MUSEUM

p.204-205
ザハ・ハディド／ユナイテッド・ヌード
靴「NOVA Shoe」
2013年
シルヴァー・メタリック、皮革
25×10×19.5cm
京都服飾文化研究財団　林雅之撮影

Zaha HADID / UNITED NUDE
Shoes *"NOVA Shoe"*
2013
Silver metallic, leather
25×10×19.5cm
The Kyoto Costume Institute, photo by Masayuki Hayashi

p.206-207
ANOTHER FARM
Modified Paradise
2018年
ミクストメディア
250×250×250cm
作家蔵

ANOTHER FARM
Modified Paradice
2018
Mixed media
250×250×250cm
Collection of the artist

本書は下記の展覧会の公式図録として刊行しました。

奇想のモード
装うことへの狂気、またはシュルレアリスム

Mode Surreal
A Crazy Love for Wearing

会場　　　東京都庭園美術館

会期　　　2022年1月15日 - 4月10日

主催　　　公益財団法人東京都歴史文化財団 東京都庭園美術館

協力　　　株式会社 七彩、株式会社無限デザインスタジオ

年間協賛　戸田建設株式会社、ブルームバーグ・エル・ピー

謝辞

本展の開催および本書の刊行にあたり、
貴重な作品と資料をご貸与いただきましたご所蔵者、美術館各位、ならびにご協力をいただきました皆さま、
また、ここにお名前を記すことができなかった関係各位に心から謝意を表します。

（敬称略、五十音順）

アクセサリーミュージアム	大野方子	長屋さくら
株式会社池田	大山弘美	縄野みどり
有限会社池田重子コレクション	岡塚章子	野中祐美子
板橋区立美術館	岡部友子	Sonya Park
うらわ美術館	奥井翔太	籏福公子
金沢21世紀美術館	尾崎弘美	浜崎加織
ギャラリー小柳	尾崎ヒロミ	浜田久仁雄
京都服飾文化研究財団	小谷元彦	原田道夫
KOSAKU KANECHIKA	金近幸作	平野賢一
神戸ファッション美術館	北村理沙子	弘中智子
小山登美夫ギャラリー	串野真也	ヤン・ファーブル
ShugoArts	桑島祥	フェリエ肇子
株式会社竹尾	小堀修司	渕上久美子
多摩美術大学	小山登美夫	ジェニー・ホワイト
東京都江戸東京博物館	佐賀一郎	前田伽南
東京都写真美術館	佐藤芳哉	前村文博
東京富士美術館	居松篤彦	ルシ・サウス・マクレリー
姫路市立美術館	杉田美香	眞下祥幸
文化学園大学図書館	鈴木郷史	松岡希代子
ポーラ美術館	鈴木佳子	宮川謙一
諸橋近代美術館	関昭郎	宮崎耕輔
横浜美術館	高岡香	村田治作
株式会社レクター	髙見翔子	矢崎純二
	竹内真	八巻多鶴子
相澤邦彦	舘鼻則孝	山田志麻子
相原佳奈子	田中雅子	山野貴大
池田由紀子	田中元子	山塙菜未
伊澤朋美	谷口依子	ユアサエボシ
石澤夏帆	辻徹也	吉仲勉
稲塚展子	筒井直子	吉野修
ロイシン・イングルズビー	寺田哲也	我妻直美
上山尚子	永澤陽一	渡辺希利子
大谷樹生	中村國憲	渡邊良隆
太田宏美	中村尚明	

The English translation of Kyoko Jimbo's essay, "MODE SURREAL: A Crazy Love for Wearing," and the chapter and section explanations in this volume are available on the Tokyo Metropolitan Teien Museum website.

奇想のモード
装うことへの狂気、またはシュルレアリスム

発行日　2022年2月11日　初版発行

監修・執筆
神保京子
（東京都庭園美術館 学芸員）

発行者
片山 誠

発行所
株式会社青幻舎
京都市中京区梅忠町9-1 〒604-8136
Tel. 075-252-6766　Fax. 075-252-6770
http://www.seigensha.com

デザイン
原条令子デザイン室

編集
廣瀬 歩
（STORK）
大木香奈
（東京都庭園美術館 学芸員）

編集補助
方波見瑠璃子
（東京都庭園美術館 インターン）

編集統括
鎌田恵理子
（青幻舎）

プリンティングディレクター
熊倉桂三
（山田写真製版所）

制作管理
板倉利樹
（山田写真製版所）

印刷・製本
山田写真製版所

Mode Surreal
A Crazy Love for Wearing

First edition　February 11, 2022

Supervisor and Author
Kyoko Jimbo
(Curator, Tokyo Metropolitan Teien Art Museum)

Publisher
Makoto Katayama

Published by
Seigensha Art Publishing, Inc.
9-1, Umetada-cho, Nakagyo-ku, Kyoto, 604-8136, Japan
TEL: +81-75-252-6766　FAX: +81-75-252-6770
https://www.seigensha.com

Design
Reiko Harajo Design Office

Editors
Ayumi Hirose
(STORK)
Kana Ooki
(Curator, Tokyo Metropolitan Teien Art Museum)

Editorial Assistant
Ruriko Katabami
(Intern, Tokyo Metropolitan Teien Art Museum)

Editorial Supervisor
Eriko Kamada
(Seigensha)

Printing Director
Keizo Kumakura
(Yamada Photo Process Co., Ltd.)

Printing Management
Toshiki Itakura
(Yamada Photo Process Co., Ltd.)

Printed and Bound by
Yamada Photo Process Co., Ltd.